ティラノサウルス
(p.26)

ヒト

ディロング (p.24)

プシッタコサウルス
(p.43)

シチパチ
(p.33)

デイノニクス (p.35)

シノサウロプテリクス (p.22)

ディノケイルス
(p.28)

ベイピアオサウルス
(p.30)

オルニトミムス (p.29)

ウティラヌス
(p.25)

クリンダドロメウス (p.42)

ティアニュロン
(p.42)

コンカヴェナトル (p.22)

ステノニコ
サウルス
(p.38)

ガウディプテリクス
(p.32)

リジンサウルス
(p.30)

ディロフォサウルス (p.20)

モノニクス
(p.31)

ヴェロキ
ラプトル
(p.34)

0   1   2m

The Perfect Guide of Feathered Dinosaur

羽毛恐竜
完全ガイド

BIRDER編集部 編

文一総合出版

シノルニトサウルス（→p.37）

目次

※
本書では過去に BIRDER で掲載したもの（例
:2015 年 8 月号）を情報や記述などを更新して
再掲載したものが一部含まれます。

でも歯があるよ

こっちは4枚ある

こっちはダチョウに似てる

でもよく見たらサギに似てる？

羽毛恐竜…一体何者なんだ…

あっ！

逃げろー

もしかしてぼくらに似てるのも…

スズメみたいなスリウス

ドキドキ

恐竜と
羽毛恐竜の基礎知識
～過去と現在の
恐竜キッズたちへ

文／田中康平　図／長手彩夏

本書を手に取る人であれば，恐竜の知識はそれなりにあるだろう。でも，その知識は最新だろうか？まさに日進月歩の勢いで発展する恐竜学，ここで一度恐竜とは何か，その最新の見解をみておこう。

※本稿で下線を引いた用語は 11 ページに解説あり。

恐竜図鑑を開いてみれば

「えー!?　子どものころに読んでいた図鑑には，ウロコの恐竜しかいなかったのに！」

——この発言は危険な要素を多分にはらんでいる。もしあなたが妙齢の読者の場合，おおよその年齢がバレる可能性があるからだ。例えば，数年に一度改訂される小学館の恐竜図鑑を見てみると，羽毛恐竜が掲載されはじめるのは2002年ごろから。つまり「イエス」と答えたあなたは，アラサー以上の可能性が高いのだ。カフェで恐竜図鑑トークをする際はくれぐれもご注意を！

最近の図鑑には羽毛恐竜が多数掲載されている。本書にもカラフルでモフモフな羽毛恐竜がたくさん登場する。これはつまり，羽毛恐竜の研究が近年急速に進んでいる証である。しかし，目まぐるしく進む恐竜研究において，最新研究に振り落とされずにしがみついていくことは，なかなか大変である。研究者ですら，あまりの速さに目が回る。そこで本書である。羽毛恐竜について，最新の研究成果が専門の研究者によってわかりやすくまとめてあるのだ。なんとスバラシイ！本章ではそれをさらにかみ砕き，羽毛恐竜研究の概要を説明しよう。

そもそも恐竜ってナニ？

皆さんは「恐竜」とは何か，説明できるだろうか。ティラノサウ

図1　中生代に繁栄した恐竜類とそのほかの大型爬虫類の大まかなグループ分け

小型獣脚類

大型獣脚類

竜脚形類

鳥脚類

ケラトプス類

アンキロサウルス類

※ほかにパキケファロサウルス類ステゴサウルス類など

竜盤類

骨盤の形

鳥盤類

骨盤の形

恐竜（陸上で直立歩行）

翼竜類

海生爬虫類

恐竜ではない

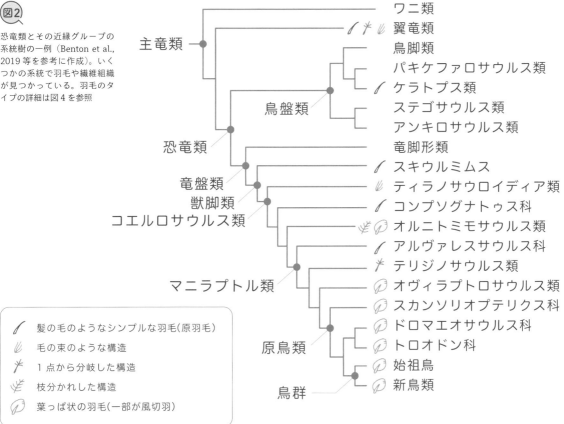

図2

恐竜類とその近縁グループの
系統樹の一例（Benton et al.,
2019 等を参考に作成）。いく
つかの系統で羽毛や繊維組織
が見つかっている。羽毛のタ
イプの詳細は図4を参照

主竜類 — ワニ類
翼竜類
鳥脚類
パキケファロサウルス類
ケラトプス類
鳥盤類 — ステゴサウルス類
アンキロサウルス類
恐竜類 — 竜脚形類
竜盤類 — スキウルミムス
獣脚類 — ティラノサウロイディア類
コエルロサウルス類 — コンプソグナトゥス科
オルニトミモサウルス類
アルヴァレスサウルス科
テリジノサウルス類
マニラプトル類 — オヴィラプトロサウルス類
スカンソリオプテリクス科
ドロマエオサウルス科
原鳥類 — トロオドン科
始祖鳥
鳥群 — 新鳥類

髪の毛のようなシンプルな羽毛（原羽毛）
毛の束のような構造
1点から分岐した構造
枝分かれした構造
葉っぱ状の羽毛（一部が風切羽）

ルスやトリケラトプスは恐竜だが，空を飛ぶプテラノドンや海の王者モササウルスは恐竜ではない。後者は恐竜と同じく中生代に繁栄した大型爬虫類だが，別系統のグループである（プテラノドンは翼竜類で，モササウルスはモササウルス類という海生爬虫類）。陸上で直立歩行していた爬虫類の一派が恐竜なのだ（**図1**）。

現在，恐竜類の定義は「**トリケラトプスとスズメの最も新しい共通祖先とその子孫すべて**」である。ナンノコッチャ！と思われるかもしれないが，次節で述べるように，トリケラトプスは鳥盤類，スズメは竜盤類というグループに属する。両者の共通祖先から生まれた子孫すべてが恐竜なので，この定義がいいたいことはつまり「恐竜類＝鳥盤類と竜盤類の集合体である」ということだ。鳥は竜盤類に含ま

れるから，恐竜の1グループとなる。恐竜類は中生代三畳紀中ごろ（約2億3000万年前）に誕生し，白亜紀末（約6600万年前）の大量絶滅事変で大打撃を被ったが，鳥は生き残って今も繁栄を続けている。地球上の隅々で2億年以上も繁栄を続ける恐竜類は人類の偉大なる先輩なのだ。

恐竜を分けよう

次に恐竜と鳥について，その系統関係をおさらいしよう。現在生きている鳥類（厳密には新鳥類）は，獣脚類という恐竜のグループに含まれる。獣脚類はティラノサウルスやスピノサウルスなど，主に肉食恐竜が属するグループだ（**図2**）。この中には二次的に植物食に進化した恐竜もいる。

獣脚類は恐竜類の主要なグループであり，竜脚形類とともに「竜盤類」に属する。竜盤類とは，恐竜類を大きく2種類に分けたときの一グループであり，もう一方は「鳥盤類」という，トリケラトプスやカムイサウルスが属するグループである。最近，この2大分類に疑問を投げかける研究があったが，現状ではまだ多くの研究者が従来の分類を使っているので，本書もそれに準ずることにしよう。

鳥類と鳥類に近縁な恐竜はよく似ていて，明確な線引きが難しい。現生鳥類に至るまでにはたくさんの種が出現し，それを束ねるグループ名が複数存在している。例えば，現生鳥類と始祖鳥などの化石種をまとめて「鳥群」と呼んだりする。ここでは分類にあまり深入りせず，適宜，**図2**を参考にしながら次に進もう。

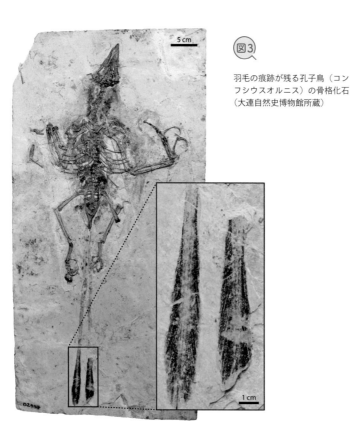

※p.59 図3参照

図3 羽毛の痕跡が残る孔子鳥（コンフシウスオルニス）の骨格化石（大連自然史博物館所蔵）

5 cm

1 cm

図4 恐竜類や初期の鳥類に見られるさまざまな形態の羽毛と，それぞれの羽毛をもっていたと推測される恐竜の表（Xu et al., 2010 を参考に作成）

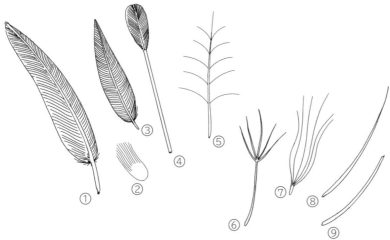

コエルロサウルス類			
ティラノサウロイディア類	⑤⑥⑦⑨	ドロマエオサウルス科	①③⑤⑥⑦
コンプソグナトゥス科	⑤⑥⑦⑨	トロオドン科	③⑤⑦
テリジノサウルス類	⑤⑥⑦⑨	始祖鳥（鳥群）	①③⑤⑦
オヴィラプトロサウルス類	③④⑤⑦	孔子鳥（鳥群）	①③④⑤⑦
スカンソリオプテリクス科	②④	エナンティオルニス類（鳥群※）	①③④⑤⑦
鳥盤類			
ティアンユロン	⑧	プシッタコサウルス	⑧

羽毛の進化

　羽毛恐竜の「羽毛」は化石として見つかる。軟組織は保存されづらいから，これは稀なケースだ。中国の遼寧省には白亜紀前期の良質な化石産地があり，1990年代後半から，羽毛の痕跡が残る骨格化石が多数発見されている（図3）。それ以外にも，琥珀の中に羽毛が閉じこめられている場合や，尺骨と呼ばれる腕の骨に，羽毛が付着していた痕（翼羽乳頭）が見つかるなどして，羽毛の存在が確認できる場合がある。

　鳥類以外の恐竜（＝非鳥類型恐竜）の羽毛はいろいろな構造をしていて，現在の鳥類には見られないタイプも含まれる（図4）。羽毛の起源はウロコが変化したものであり，毛のような繊維状の構造に始まり，羽軸から複雑に枝分かれした葉っぱ状の形態へと変化していった。髪の毛のようなシンプルな羽毛（原羽毛）は，スキウルミムスなどの比較的原始的な獣脚類に見られる。よく似た繊維組織はプシッタコサウルスやクリンダドロメウス，ティアンユロンなどの鳥盤類恐竜，さらには恐竜類の親戚すじにあたる翼竜類の体の一部からも見つかっている。これらの繊維組織が同一の起源だったとしたら，羽毛の起源は三畳紀前期の恐竜類と翼竜類の共通祖先にまでさかのぼることができる（図2）。ただしこの点の議論は続いていて，鳥類と相同の羽毛が出現したのは，非鳥類型獣脚類とする説もある。

　獣脚類の系統になると羽毛は多様，かつ複雑な構造になった。ティラノサウルスやテリジノサウルスの仲間では毛の束のような構造だったが，オルニトミムスの仲間になると腕に葉っぱ状の羽毛を

備えていた可能性がある。葉っぱ状の羽毛は特に「マニラプトル類」と呼ばれる進化型の獣脚類ではっきり認められ，ドロマエオサウルス科やトロオドン科などの鳥群に極めて近い系統で非対称形の羽毛（風切羽）が誕生したとされている。

羽毛は何のため？

　では，羽毛は何のために進化したのだろうか。保温やヒゲのような感覚器官，ディスプレイやカモフラージュなどの役割が提唱されている（**図5**）。こうした中，最近の研究で恐竜類や翼竜類は内温性だったことが明らかになった。特に代謝率が高い獣脚類は，体内で生み出した熱を逃がさないよう，羽毛には断熱材の役割があったようだ。例えばティラノサウルスの古い仲間のユーティラヌスは，大型種にしては珍しく，長い原羽毛で覆われていた。冷涼環境に適応した結果だと考えられる。

　また，羽毛化石に残されたメラノソームという細胞小器官の痕跡が見つかったことにより，一部の恐竜では羽毛の色が復元できるようになった。その結果，シノサウロプテリクスのカウンターシェーディングには開けた土地で身を隠す役割があったことや，アンキオルニスの赤褐色の頭部はコミュニケーションの役割（つまりオシャレ）があったと推測されている（→p.64）。興味深いことに，種内闘争で付けられた頭骨の傷跡は，ティラノサウルスの仲間などでしばしば観察されるが，マニラプトル類になると減少するという。マニラプトル類では羽毛を使ったディスプレイが主となり，直接的な争いが減ったためかもしれない。

図5【羽毛にはどのような役割があったのだろうか】

① ユーティラヌスの羽毛は保温のため？

② コエルルスの羽毛には触角の役割があった？

③ 尾羽を使ってメスにアピールするカウディプテリクス

④ カモフラージュ効果があったシノサウロプテリクスの体色

① 滑空が起源

② 羽ばたきながらの走行が起源

③ 斜面を駆け上がる運動が起源

翼の進化と飛翔の進化

羽毛がもともと飛ぶための器官ではなかったのなら，飛翔はいつごろ，どのようにして始まったのだろう。まず，葉のような羽毛が腕にそろい，原始的な翼（<u>原翼</u>）をもつようになるのはオルニトミスの仲間からだ。彼らはダチョウに長い尾を生やしたような見た目で，飛ぶことはできなかった。興味深いことに，幼体の化石には翼の痕跡がなく，成体になると原翼が成長することがわかった。成体に必要な器官であることから，翼はもともとディスプレイや抱卵など，繁殖に関する役割を担っていたのではないかと考えられる。

そして飛翔の起源には主に3つのシナリオが考えられる（図6）。
①木から木へ飛び移る滑空からスタートしたとするシナリオ
②羽ばたきながら地上を走ることからスタートしたとするシナリオ
③斜面や壁を羽ばたきながら登る運動からスタートしたとするシナリオ

近年注目を浴びているのは③である。現在でも一部の鳥の幼鳥で見られ，成長しきっていない翼でも斜面を駆け上がることが可能だからだ。これと同様，比較的小さな翼の獣脚類がこの行動をとり，やがて完全な飛翔へと変化していったとしても不思議ではない。ただし，どの説が正しいかを明らかにすることは極めて難しい。

羽毛や翼の獲得と連動して，鳥類に至る系統で頭部（歯の喪失と嘴の獲得）や消化器官の変化，姿勢や繁殖生態の変化など，さまざまな機能の変化が起こった。本稿は既にページ数を超過しているので，これらの進化は別ページに譲ろう（→p.58）。まとめると，現生鳥類に見られる独特の形態や行動，生態は鳥類へと至る系統で徐々に獲得されていったのである。この「鳥化」を追いかけるのがことさらおもしろく，研究者たちは日々情熱を注いでいる。このことは，近年の急速な研究の進展から見ても明らかだろう。――図鑑編集者の皆様，ご苦労様です。

用語解説

文／田中康平

カウンターシェーディング

背側が濃く，腹側が淡くなる体色の組み合わせのこと（**図1**）。カモフラージュ効果があるとされる。いろいろな生物に見られるので探してみよう。

図1 カウンターシェーディングの例（インパラ，図／長手彩夏）

原羽毛（げんうもう）

進化の初期の段階の，原始的な羽毛のこと。毛のような繊維状の形状でプロトフェザーともいう。

原翼（げんよく）

原始的な翼のこと。獣脚類恐竜のオルニトミムスには原翼があり，飛翔のためではなく，繁殖のために使ったと推測されている。

獣脚類（じゅうきゃくるい）

恐竜類の主要な1グループ。肉食恐竜と二次的に植物食に進化した系統を含む。鳥も獣脚類であり，多くの羽毛恐竜が属する。

新鳥類（しんちょうるい）

今生きているすべての鳥が属するグループのこと。白亜紀中ごろに出現。

相同（そうどう）

ヒトの腕と鳥の翼など，機能が異なっても由来が同じ器官のこと。

中生代（ちゅうせいだい）

地質年代の1つで，2億5190万年前から6600万年前を指す。その中でも細かく以下のように区分される。

～2億130万年前：三畳紀
～1億4500万年前：ジュラ紀
～6600万年前：白亜紀

鳥群（ちょうぐん）

現生鳥類と，始祖鳥など絶滅した初期の鳥類からなるグループ。正確には，デイノニコサウルス類（ドロマエオサウルス科＋トロオドン科）よりも鳥に近いすべての種が含まれる。読者が鳥類と聞いてイメージするグループに近い。ただし，研究者によって定義が異なる場合があるので注意！

鳥盤類（ちょうばんるい）

恐竜類を2グループに分類したときの1群。もう一方は竜盤類。恥骨が後方下向きに伸びていて，一見すると鳥の骨盤に似ていることからこう呼ばれる。鳥脚類，ケラトプス類（角竜類），パキケファロサウルス類（堅頭竜類），アンキロサウルス類（鎧竜類），ステゴサウルス類（剣竜類）などが含まれる。すべて白亜紀末までに絶滅。

内温性（ないおんせい）

体内で熱を生み出し，体温を維持する性質のこと。逆に体外の熱を利用して体温調節する性質を「外温性（がいおんせい）」という。

非鳥類型恐竜（ひちょうるいがたきょうりゅう）

鳥類以外の恐竜を指す場合に使う用語。逆に鳥のことを「鳥類型恐竜」ということもある。

マニラプトル類

獣脚類の中でも特に鳥群に近い系統と鳥群からなるグループ。大きな前肢に長い指とかぎ爪が付いていることから，Maniraptora（手で掴む捕食者の意）と呼ばれる。テリジノサウルス類，アルヴァレスサウルス類，オヴィラプトロサウルス類，スカンソリオプテリクス科，ドロマエオサウルス科，トロオドン科，鳥群を含む。前肢のツメは鳥類で失われる。

メラノソーム

メラニン色素を含む細胞の小器官のこと。メラニンは羽毛の色の元になる色素の1種。羽毛化石にメラノソームが保存されている場合があり，これはつまり，羽毛恐竜の体色が復元できる可能性があるということ。詳しくはp.56へGO!!

竜盤類（りゅうばんるい）

鳥盤類とともに恐竜類を2グループに分類したときの1群。恥骨が前方下向きに伸びていて，トカゲの骨盤に似ていることからこう呼ばれる。竜脚形類と獣脚類が含まれる。鳥類は鳥盤類ではなく，竜盤類であることに注意！鳥群の一部を残してすべてが白亜紀末までに絶滅。

翼羽乳頭（よくうにゅうとう）

尺骨という腕の骨の表面に見られる連続したコブ（**図2**）。一定の間隔で並び，風切羽の根元が靭帯を通して付着する。ヴェロキラプトルにはこれが見つかっており，腕に翼があったと推測される。

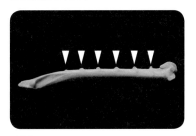

図2 アオゲラの尺骨に見られる翼羽乳頭（写真／川上和人）。規則的にコブ（矢印）が並ぶ

翼竜類（よくりゅうるい）

プテラノドンやプテロダクティルスなどの飛翔性の爬虫類グループ。恐竜類と同じ主竜類に属する恐竜類の親戚すじ。三畳紀に出現し，白亜紀末までに恐竜とともに絶滅。体に生えたフワフワの羽毛状組織はコミュニケーションの役割があったそう。翼竜もオシャレさん。

恐竜はどこまで鳥か？
〜鳥は恐竜を知る万能の剣か

文・写真／川上和人

恐竜と鳥が近い関係にあることは，恐竜研究を進める大きな力となった。しかし，"恐竜＝鳥"と思考停止してしまうと，恐竜本来の姿から離れてしまうかもしれない。

薔薇色（ばらいろ）ではない鳥類

「薔薇色の人生」と聞くと，何だかハッピーそうな人生を送っていそうだ——しかし，世の中の人が思い浮かべる薔薇色はどんな色なのだろう。お花屋さんには，"花屋戦隊バラレンジャー"が結成できそうなほど多様なバラがある。赤に，白に，黄，緑，オレンジ。最近は青いバラも開発されたようだ。同じ言葉で話していても，思い浮かべる薔薇色はバラバラで"十バラ十色"なのである。

バラはさておき，鳥と聞けば種類は違えども，次のようなイメージが頭に描かれる。【翼】があり，【羽毛】が生え，【二足歩行】をして，【卵】を産む——細部の差異はあるだろうが，おおむねそんな姿が思い浮かぶ。ペンギンやダチョウのような特殊な種類ですら，この様式美を踏襲している。逆にこれらの条件をもつ動物は鳥なのだといえる（図1）。

では，哺乳類はどうだろうか。獣毛が生え，四足歩行をし，何だか牙をむき出している——だが，これではハダカデバネズミ愛好家やコウモリマニア，ザトウクジラ向上委員会の人たちは納得がいかない。つまり，哺乳類は鳥に比べて薔薇色で"十獣十色"なのだ。

爬虫類にはヘビもカメもドラゴンもいて"十爬虫類十色"である。昆虫も"十昆虫十色"で，チョウとロクロクビオトシブミ[※1]が同類とは思えない。モビルスーツだって，ガンダムとガンタンク[※2]では共通点を探すほうが難しいくらいだ。

要するに鳥類はほかのグループに比べて画一的な姿をもっているのだ。これは鳥が空という特殊な環境を舞台に進化したことに起因している。

空を飛ぶには，その身に降りかかる重力と戦わなくてはならない。このことは大きな制約となる。制約があると無駄を省かざるを得ず，類似性ががぜん増してくる。飛ぶ

図1 世界には多様な鳥がいるが，体の基本構成は種間で安定している
（左からコシグロペリカン，ミノゴイ，ケープペンギン，ハゴロモインコ）

ためには推進装置としての翼が必要で，翼の構成には羽毛が必要だ（**図2**）。前肢を効率のよい推進装置にするためには，二足歩行が最適である（**図3**）。体を軽くするには，体重が増加する妊娠期間が長い胎生より，体外で子を育てる卵生の方が好ましい（**図4**）……。要するに，鳥の特徴は飛行という特異な行動が作りあげたものなのである。

図2 羽毛をもつことは鳥だけがもつ特徴だ
（オーストラリアガマグチヨタカ）

図3 現生動物で二足歩行を常とするのは鳥とヒトだけである

図4 卵生は鳥と恐竜の共通点の一つ

鳥は恐竜でできている

　……というのは，あくまでも現生の鳥の話である。鳥が空に進出したのは1億5千万年ほど前のことだ。そのご先祖さまは陸地を闊歩していた。それが恐竜だ。

　ルパン三世とその祖父アルセーヌ・ルパンには共通点と相違点がある。子孫と祖先とはそういうもので，もちろん鳥と恐竜にも同じことがいえる。鳥の中には，恐竜との共通点と相違点が共存している。前者は恐竜から受け継いだ性質であり，後者は鳥が独自に獲得した性質といえる。

　先に挙げた鳥の特徴は，【翼】【羽毛】【二足歩行】【卵生】だ。これらは果たして鳥の独特の特徴だろうか。

　オルニトミモサウルス類の恐竜，オルニトミムスは翼をもっていた。彼らは空を飛ばず，翼はディスプレイの道具だと考えられている。羽毛恐竜シノサウロプテリクスは羽毛をもつが空を飛ばない。羽毛は保温のためかもしれない。これ

らを含む獣脚類恐竜は二足歩行だし，これまでに見つかっている恐竜はすべて卵生である。

　前述の通り，これら4つの「鳥らしい性質」は，飛行に適した性質である。しかし，これらは鳥の独自の特徴ではなく，空を飛ばない祖先から引き継いだ性質なのだ。

　つまり，このような特徴は空を飛ぶために進化したわけではないということになる。逆に結果的に飛行に有利になる特徴をもっていたからこそ，鳥は「空を飛ぶ」という特殊な行動を発達させられたのだ。では，鳥が鳥になってから手に入れた特徴とは何だろうか。

　それは《嘴》《骨格のない尾羽》《前向きに3本と後ろ向きに1本の趾をもつ三前趾足（図5）》《胸骨に突き出た竜骨突起（→p.58 図2）》などだ。これらは鳥が空を飛ぶようになってから獲得した特徴であり，真に鳥らしい性質といってよい。

図5　三前趾足は，樹上で枝をつかむために進化した可能性が高い（ヒヨドリ）

そして恐竜は鳥になる

　鳥は恐竜から進化してきた。このため，最近は現代の鳥がもつ性質から恐竜の形態や行動を推定する試みが盛んである。これは恐竜の研究を行ううえでとても有効な方法といえる。

　しかし，恐竜が薔薇色であることも忘れてはならない。恐竜は大きく「竜盤類」と「鳥盤類」の2つのグループに分けられる。鳥盤類はトリケラトプスやステゴサウルスなどを含むグループで，竜盤類はティラノサウルスなどの獣脚類やアパトサウルスなどの竜脚形類を含むグループだ。

　恐竜は2億3千万年前から6600万年前までの長期にわたって繁栄し，この間に多様な形態や生態の種が進化してきた。そこには肉食も植食も二足歩行も四足歩行も含まれている。このうち，鳥類に進化したのは獣脚類である。

　獣脚類には肉食性，雑食性，植食性の種が含まれているが，ほかのグループは主に植食性だ。獣脚類からは翼や羽毛をもつ恐竜が多数見つかっているが，ほかのグループからは少数の羽毛恐竜が見つかっているだけである。また獣脚類は二足歩行だが，ほかのグループは主に四足歩行だ。

　つまり，直接の祖先となる獣脚類は鳥と似た特徴をもつものの，それ以外の恐竜はそれほど鳥類に似ていないし，系統的にも近くないということになる。そう考えると，鳥を参考にして性質を推定できる範囲には制限があるだろう。

　例えば恐竜はすべて卵生なので，卵に関わる性質について鳥を参考にするのは妥当かもしれない。その一方で，木の枝葉をバリバリと食べる竜脚形類などに対して，鳥類の行動を参考にすることは得策ではない。葉食に特化したツメバケイ[※3]という鳥もいるが，特殊すぎて一般化は難しそうだ。また，色彩や形態，誇示行動などは羽毛との関係が強いため，羽毛の証拠をもたない恐竜に対しては，鳥の知見はあまり役に立たなさそうだ。

図6 鳥の色彩を恐竜に適用するには，生息地や栄養段階の理解が必須（ゴシキセイガイインコ）

それだけでなく，性質を推定する対象が獣脚類の羽毛恐竜だとしても，鳥類の情報は万能ではない。例えば，羽毛の色彩は視覚を介したメッセージであるため，生息地の光環境と関係があるはずだ（**図6**）。そうなると，その恐竜が森林性か草原性かによって，参考にできる種類は異なってくる。森林性の恐竜に対して，開けた場所にすむツルやサギなどの性質はあまり参考にならないだろう。また，保護色の有無は，捕食者か被食者かという生態系の中での立場に左右される。

鳥と恐竜の類縁関係を証明することで，恐竜学の世界は「現生鳥類」という強力なヒントを手に入れた。しかし，多種多様な種を内包する恐竜にとって，これは万能のエクスカリバー[4]ではないのだ。とはいえ，両者を上手にマッチングすれば，鳥類の知見は恐竜学を支える堅牢な基礎となることは間違いない。

幸いなことに，現生鳥類にはプロアマを問わず多くの観察者がおり，数多の知見が蓄積されている。これを恐竜学の正しい場所に届けることは，鳥の知見を有する者の責任だ。それがうまくいけば，恐竜は鳥を通して解釈できるようになる。

その点で，恐竜は鳥になるのだ。

※1
雄の頸が非常に長大になるオトシブミ。フィリピンに生息。

※2
ガンダムシリーズに登場するロボット兵器（モビルスーツ）。二足歩行で白兵戦向きのガンダムと，キャタピラー駆動で長距離戦向きのガンタンクは見た目も運用方法もまったく異なる。

※3
爪羽鶏。主に南米に生息する鳥で，雛の翼に爪があることが名前の由来。始祖鳥っぽい鳥として紹介されることもある。

※4
中世ヨーロッパの騎士道物語「アーサー王伝説」に登場する伝説の剣。魔法の力が宿るとされ，あらゆるものを両断するという。

鳥はどこまで恐竜か？
～鳥と恐竜の あいまいな関係

文・写真／小林快次

前頁では「恐竜はどこまで鳥か？」という話を展開した。今度は視点を逆にしてみよう。鳥と恐竜は研究が進むにつれ，その境目を引きづらくなっている。「わかるほど，わかりにくくなる」のはなぜなのか？

あいまいになる境界

　始祖鳥（**図1右**）が，鳥類と爬虫類（いわゆる恐竜）とのミッシングリンクであることはいうまでもない。今から150年以上も前の1868年，英国のトーマス・H・ハクスリーは，始祖鳥と同じ地層から発見されたコンプソグナトゥス（**図1左**）という恐竜と比較し，始祖鳥は鳥の特徴である羽毛の痕跡が残っているが，骨格は恐竜であるコンプソグナトゥスに類似していることを指摘している。

　そして，1990年代後半から立て続けに中国の遼寧省から発見された「羽毛恐竜」によって，それまで明らかだったと思われていた爬虫類と鳥類の境界があいまいになっていった。これらの発見は，恐竜の概念を根底から覆す革命的なものであり，恐竜研究を飛躍的に進歩させたといっても過言ではない。例えばシノサウロプテリクス（**図2上**）は1996年に命名され，その後1998年に同恐竜の体には羽毛が存在したことが論文に発表された。それ以降，立て続けにシノオルニトサウルス（1999年），ミクロラプトル（2000年，

図4下），ディロング（2004年，図2下）などと，羽毛の痕跡が保存されている化石が発表されていった。これらの発見により，いわゆる典型的な恐竜に，鳥類にしかないと思われていた特徴が続々と発見されていくこととなる。

鳥の特徴は 恐竜が獲得済

　恐竜類の中でも，獣脚類の一部が小型化し，コエルロサウルス類が誕生する。コエルロサウルス類

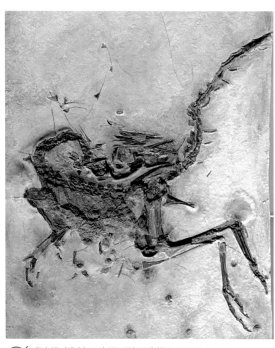

図1 爬虫類（恐竜）と鳥類の類似を指摘するもととなったコンプソグナトゥス（左）と始祖鳥（右）の化石

図2 中国遼寧省から発見された羽毛恐竜である，シノサウロプテリクスの全身骨格（上）とディロングの頭骨（下）

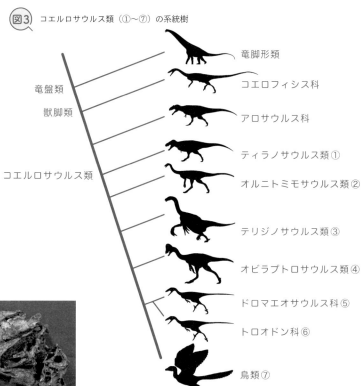

図3 コエルロサウルス類（①～⑦）の系統樹

竜脚形類

コエロフィシス科

アロサウルス科

ティラノサウルス類①

オルニトミモサウルス類②

テリジノサウルス類③

オビラプトロサウルス類④

ドロマエオサウルス科⑤

トロオドン科⑥

鳥類⑦

竜盤類

獣脚類

コエルロサウルス類

には，基盤的※1なほうから，①ティラノサウルス類，②オルニトミモサウルス類，③テリジノサウルス類，④オビラプトロサウルス類，⑤ドロマエオサウルス科，⑥トロオドン科，そして⑦鳥類（Aves）といったグループが属している（**図3**）。現生の鳥類をほかの脊椎動物と比べたとき，【羽毛で覆われている体】【歯がなく嘴で覆われた吻部】【前肢が翼】【抱卵】などといった特徴をもつことが知られている。現生脊椎動物の範囲内で鳥類を特徴づけるには，これらのコンビネーションでもよいかもしれない。しかし，それらの「鳥類の特徴」の起源を化石記録でたどっていくと，かなり複雑であることがわかってきている。

　【羽毛で覆われている体】は，上に挙げた①から⑦すべてのグ

図4 羽毛の痕跡が残っているオルニトミムス（上：円内）とミクロラプトル（下）の化石

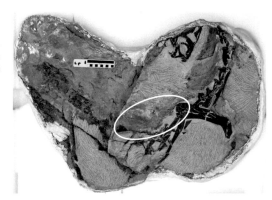

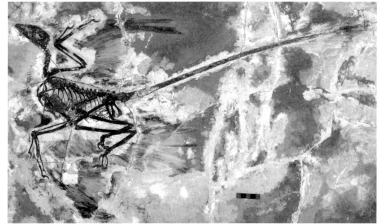

ループの化石に証拠が残っている。例えば，①のユティラヌス，②のオルニトミムス，③のベイピアオサウルス，④のカウディプテリクス，⑤のシノルニトサウルス，⑥のジンフェンゴプテリクスといった具合である（**図4**）。体表に覆われた羽毛は，原始羽毛（原羽毛）とも呼ばれ，1本の繊維状の形態をした単純な構造となっている。これらの羽毛は熱の放出を抑え，体温調整の役割をもっていた。原始羽毛は恐竜の進化に伴って，複数の繊維が束になった状態，そしてダウン状へと複雑化・多様化していく。これらの羽毛は，体温調節とともに，装飾の役割も果たしていた。つまり，羽毛の存在は，コエルロサウルス類にとってはデフォルト的なものであり，鳥類の出現よりかなり前に獲得したものであるということがわかる。

【歯がなく嘴で覆われた吻部】という特徴は，歯の消失＆嘴の獲得といった進化が必要だが，これは収斂進化^{※2}によって少し複雑になっている（**図5**）。歯の消失といっても，あごから完全に歯がなくなるケースと，あごの一部から歯が消失するというパターンがあるからだ。この収斂進化は，恐竜の生態に合わせ，何度にもわたって発生している。例えば②のオルニトミムス（上下のあごから消失），③のエルリコサウルス（前のみ消失），④のオビラプトル（上下のあごから消失）といったものが挙げられるが，②のオルニトミモサウルス類と④のオビラプトロサウルス類の基盤的なものは，上下のあごに歯が残っており，進化の過程で独立して歯がなくなっていったことがわかっている。そして，鳥類になって歯の消失と嘴の獲得が定着化した。

【嘴の獲得】は胃石と砂肝の進

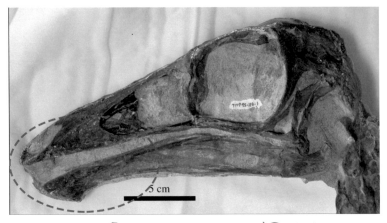

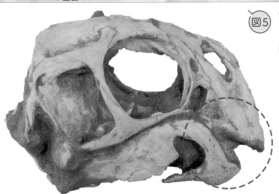

図5 歯を失ったオルニトミムス（上）とコンコラプトル（下）の頭骨。赤丸が嘴部分。

化に大きく関係していると考えられ，新鳥類^{※3}が約6600万年前の小天体の衝突による大量絶滅を免れた一つの理由とも考えられている。嘴をもち，砂肝を獲得することで小天体衝突後の極限的に厳しい環境で残された種子を食べることを可能とし，さらには歯の消失によって孵化日数を短くすることに成功した。その結果，食料の獲得と絶滅からのすばやいリカバリーを可能としたため，絶滅を生き延びたとも考えられている。

【前肢が翼】という特徴は，②のオルニトミムス，④のカウディプテリクス，⑤のミクロラプトル，⑥のジンフェンゴプテリクスなどに確認されており，翼の起源は鳥類の出現よりもかなり前であることがわかる。ただし，翼の起源は飛翔ではなかった。翼をもつ最も原始的なコエルロサウルス類のオルニトミムスの研究では，性成熟

を迎えた個体が翼を形成することから，恐竜はもともと翼を装飾として使っていた考えられている。そして⑤のミクロラプトルなど，進化し鳥類に近づいた恐竜は，非対称の風切羽を備え（→p.49），翼は飛翔に使っていた。翼は前肢だけではなく後肢にも発達し，4枚の翼を使って空を飛んでいたことがわかっている。

なお，鳥の足のうろこは原始的な名残としてよく紹介されるが，実はそうではない。鳥類に近づいた恐竜の後肢は羽毛で覆われており，その後の先祖返りとして，鳥類は後肢（足）にうろこをもつようになった。このように，翼の進化は複雑ではあるが，飛翔の起源においては鳥類よりも前に進化したことがわかる。

最後に【抱卵】は，④のシチパチや⑥のトロオドンで確認されている。④のグループ名の由来と

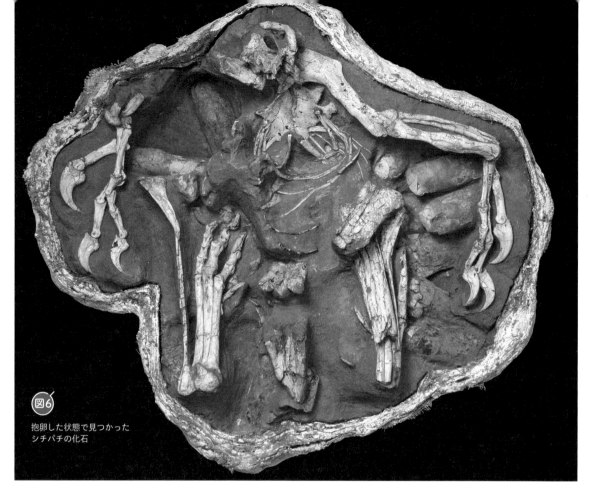

図6
抱卵した状態で見つかった
シチパチの化石

なったオビラプトルは，「卵泥棒」という意味である。巣の化石の近くで骨が発見され，当時はこの巣はプロトケラトプス（角竜類［ケラトプス類］）のものであり，骨（オビラプトル）はその卵を食べにきたという冤罪をかけられた。その後，1993年にモンゴルでプロトケラトプスだと思われていた卵の上に，別の恐竜の抱卵した状態の化石が見つかった。これがシチパチだった（**図6**）。この発見によって，シチパチをはじめとしたいくつかのオビラプトロサウルス類の恐竜が抱卵していたことがわかった。また抱卵した形ではないが，トロオドンの巣も発見され，雄が卵を温めていたと考えらえている。抱卵といった〝卵の世話〟の起源も，鳥類の起源よりも前であったことが明らかになったのだ。

鳥は恐竜そのもの

　以上のように，それまで「鳥類特有なもの」だと思われていたものが，鳥類でない恐竜に存在することがわかってきている。爬虫類と鳥類の境界はさらにグレーとなり，始祖鳥がミッシングリンクとして「点」で結んでいたつながりが，「線」へと変化していった。こうして，鳥類が中生代の恐竜から進化したものであり，鳥類は恐竜類の1グループであることが確定づけられることとなり，「鳥は恐竜である」ということが世界的に認知されていったのだ。

　この「鳥は恐竜である」というステートメントをわかりやすくするために，人間と哺乳類の単語を使って比べてみる。「人間は哺乳類である」ということは明らかである。「鳥はどこまで恐竜か」と

いう問いは，「人間はどこまで哺乳類か」という問いと同等であり，ある意味，その答えは簡単な質問であり，「鳥は恐竜そのもの」ということになるのである。今後の研究によって，この爬虫類と鳥類のグレーゾーンはよりあいまいになっていくだろう。そして，「鳥は恐竜そのもの」というのが，議論するまでもなく，当たり前のことになっていくはずだ。

※1
ある分類群の系統の中で，最も初期に分岐したグループを指す。図3の場合，コエルロサウルス類の中で，最も早く分岐したのがティラノサウルス類であり，最も基盤的とされる。

※2
異なる分類群の生物が，似たような生態をもった結果，形態が類似する現象。

※3
いわゆる鳥群（→ p.11）のうち，現生の鳥類が属するグループ。中生代にはこのほかに真鳥類やエナンティオルニス類などさまざまな鳥群がいたが，大量絶滅を生き残ったのは新鳥類だけ。

これは鳥か，恐竜か？最新羽毛恐竜図鑑

イラスト・文・写真／川口 敏

図鑑に描かれる恐竜の姿は，近年様変わりしている。羽毛恐竜の発見がその大きなターニングポイントになっていることは間違いない。鈍重な巨大生物ではなく，羽毛をまとい，活発に太古の地球を闊歩した生物の姿を見てみよう。

LIIO
2021

三趾足
(Tridactyl foot)

獣脚類の足は，鳥と同じように，第I〜IV趾の4本の趾（あしゆび）からなる。第I趾は退化的で，地面に届かない。

I

II

III

IV

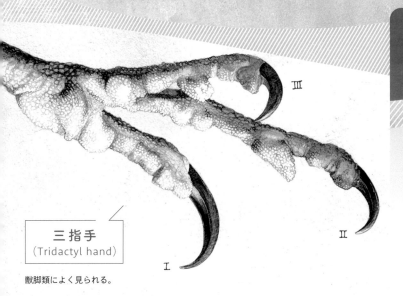

三指手
(Tridactyl hand)

獣脚類によく見られる。

III
II
I

ディロフォサウルス
Dilophosaurus
意味：2つの鶏冠のあるトカゲ

獣脚類・ディロフォサウルス類
ジュラ紀前期・肉食性・体長7m
化石の産出地：北米

　最初の大型獣脚類として知られる。頭部にある2つのとさか状の構造物はディスプレイ用と考えられる。羽毛が存在した直接的な証拠はないが，ディロフォサウルスもしくはコエロフィシスとされる足跡化石には羽毛の痕跡があった。あごや歯の形状がスピノサウルスに似ているため，魚食性だった可能性がある。恐竜映画『ジュラシック・パーク』に登場して有名になった。劇中では，頸の周りにエリマキトカゲのようなフリルがあって毒を吐くが，あれは創作。

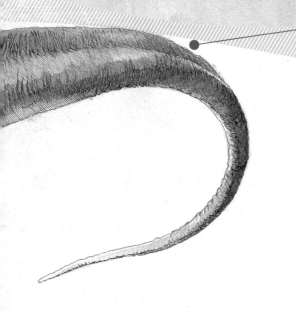

コンカヴェナトル
Concavenator
意味：コンカ（地名）のハンター

獣脚類・カルカノドントサウルス類
白亜紀前期・肉食性・体長6m
化石の産出地：スペイン

　カルカノドンドサウルス類で初めて見つかった羽毛恐竜。前肢の尺骨（しゃっこつ）に風切瘤（かざきりこぶ）（翼羽乳頭）と思われる突起があり，翼状の構造物があったと考えられる。また，一部の胴椎（どうつい）の神経棘（しんけいきょく）が著しく長く，背中に小さな帆のような構造物をつくるが，その用途は不明。尾の先端腹側に短冊状のうろこがあり，後肢のくるぶし付近に鳥の足にあるようなうろこがあった。

シノサウロプテリクス
Sinosauropteryx
意味：中国の翼のあるトカゲ

獣脚類・コンプソグナトゥス科
白亜紀前期・肉食性・体長1m
化石の産出地：中国

　初めて見つかった羽毛恐竜。体長に占める尾の長さは獣脚類中で最大。前肢は短く，3本の指のうち第1指が大きく目立つ。胃のあった場所からトカゲや哺乳類の骨が見つかっている。また別の個体では体内に卵が2個保存されていたことから，鳥類と異なり，左右の卵巣が両方とも機能していたと考えられる。頸〜尾にフィラメント状の羽毛が生えていたが，正羽（→ p.37）は認められない。保存されていたメラノソームの分析から全体的にオレンジ色で，尾は白とオレンジのしま模様だったことがわかっている。

風切瘤（かざきりこぶ）〈○印〉
（翼羽乳頭）（よくうにゅうとう）

　前肢の尺骨（しゃっこつ）に見られる突起で，次列風切※を固定するアンカーとしての役割がある。これがあれば，風切羽※が存在した可能性がある。しかし，現生でも風切瘤のない鳥はいるので，瘤がないからといって風切羽が存在しないとはいえない。恐竜ではヴェロキラプトルやコンカヴェナトルで見つかっている。

※風切羽の解説は p.49

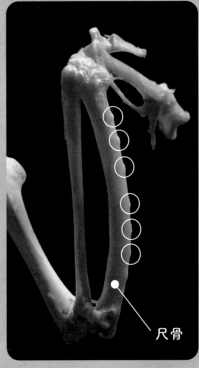

尺骨

ドバトの右翼

ディロング
Dilong
意味：中国語で「帝竜」

獣脚類・ティラノサウルス科
白亜紀前期・肉食性・体長 1.6 m
化石の産出地：中国

ティラノサウルス科としては初めて発見された羽毛恐竜。前上顎の歯は断面が D 字状であることから，ティラノサウルスの仲間と考えられるが，ティラノサウルスと異なり，前肢の指が 3 本あった（第 III 指は極端に細い）。頸と前肢はやや長く，左右の鼻骨が癒着して 1 つの骨になり，頭の上に Y 字状の長い突起（稜）をつくる。化石では頸と尾に羽毛の痕跡が認められた。

肉食恐竜の歯

一般にナイフ状で，先端が後方に曲がる。前縁と後縁にステーキナイフの歯のような細かな突起（鋸歯，あるいはセレーション）がある。歯の形態は種によって異なるため，分類や同定に役立つ。恐竜の歯は一生の間に何百本も生え代わり，古い歯は抜け落ちる。また，歯は非常に堅いので化石として残りやすい。写真はティラノサウルス類の脱落歯。脱落した歯には歯根がない。

ユウティラヌス
Yutyrannus
意味：羽（中国語）のある王様

獣脚類・ティラノサウルス科
白亜紀前期・肉食性・体長 9 m
化石の産出地：中国

　現在のところ，羽毛が確認された
恐竜の中では最大種。頭部にとさか
があった。前肢は長く，3 本の指が
あった。腰・尾の先端部・足・頸の
背面・上腕付近に長さ 15cm 以上
のフィラメント状の羽毛の痕跡が認
められた。もし羽毛が全身に生えて
いたとすれば，その羽毛は防寒用で，
当時の生息場所は気温がかなり低
かったと考えられる。一方，羽毛が
部分的に生えていたのであれば，羽
毛はディプレイ用の飾りだったと考
えられる。

※別表記
ユティラヌス，ユーティラヌス

ティラノサウルス
Tyrannosaurus
意味：暴君竜

獣脚類・ティラノサウルス科
白亜紀後期・肉食性・体長 12m
化石の産出地：北米

　ティラノサウルス類の最大種。前肢は小さく，2 本の指があった（第Ⅲ指は消失）。前上顎骨の歯の断面は D 字状（ティラノサウルス類に共通して見られる特徴）。叉骨があった。羽毛の存在が予想されているが，今のところ化石に痕跡は見当たらず，代わりにうろこの痕跡が見つかっている。成体は羽毛がなく，はげていたのかもしれないが，ヒナ（幼体）の状態では羽毛に覆われていたと考えられる。

叉骨（さこつ）

　左右の鎖骨が癒着してできた U 字，ないし Y 字型の骨で，かつては鳥類固有の特徴とされた。恐竜ではヴェロキラプトルやティラノサウルスといった獣脚類（鳥類を含む）に共通して見られる。

ティラノサウルスの叉骨
（所蔵／国立科学博物館）

ケリのヒナ

ケリはチドリ科の現生鳥類。恐竜のヒナの多くは、このケリと同様にふ化後まもなく自力で採食する早成性（そうせいせい）だったと考えられている。一般に早成性のヒナは摂食器官のあごと天敵から逃げるための後肢が大きく発達している。

ティラノサウルスのヒナ

ティラノサウルスの卵やヒナの化石は今のところ発見されていないので、ふ化直後のヒナの大きさや形態は不明だ。恐竜学者ブルサットによれば、ティラノサウルスのヒナはハトぐらいの大きさだろうという。

デイノケイルス
Deinocheirus

意味：恐ろしいかぎ爪

獣脚類・オルニトミモサウルス類
白亜紀後期・雑食性・体長 11.5 m
化石の産出地：モンゴル

　オルニトミモサウルス類の最大種。発見当
初，巨大なかぎ爪をもつ前肢だけしか見つかっ
ておらず，全体像がわからない謎の恐竜とし
て有名だったが，近年ほぼ全身の骨格が見つ
かり話題となった。体形はテリジノサウルス
に似ているが，背骨の棘突起が発達して，背
中に帆のような構造物をつくる。歯がなく，
やわらかい水草などを食べていたと推測され
ている。後肢の第Ⅰ趾は消失。化石の腹部か
らは大量の胃石に混じって魚の骨やうろこな
どが見つかった。羽毛の痕跡は発見されてい
ない。

デイノケイルスの手

オルニトミムス
Ornithomimus
意味：鳥もどき

獣脚類・オルニトミモサウルス科
白亜紀後期・雑食性・体長 3 m
化石の産出地：北米

　体形がダチョウに似ているが（そのため「ダ
チョウ恐竜」とも呼ばれる），長い尾があった。
歯がなく，あごは嘴状。前肢の 3 本の指はほ
ぼ同じ長さで，長くてまっすぐな爪がついて
いた。後肢の趾は 3 本で，第 1 趾は消失。成
体の前肢には炭化した大羽の軸と思われる痕
跡が見つかっており，前肢に翼状の構造物が
あったと考えられる。一方，体長 1 mの幼体
にはこのような構造物は見られないので，翼
状の構造物はディスプレイ用で，現生の鳥類
と同様に成長過程で生じると考えられている。

ベイピアオサウルス
Beipiaosaurus
意味：ベイピアオ（地名）のトカゲ

獣脚類・テリジノサウルス類
白亜紀前期・植食性・体長 2.2 m
化石の産出地：中国

　大きな鋸歯のある歯がたくさん生えている。叉骨があった。前肢は後肢より長く，爪も大きい。後肢は太短く，第 I 趾が地面につかない三趾足（ほかのテリジノサウルス類は第 I 趾が地面につく四趾足）。ほぼ全身に羽毛の痕跡が認められた。50 〜 70 mm のフィラメント状の羽毛がほぼ直角に尺骨に接しており，翼に似た構造をつくる。ただし，風切羽などの正羽（→ p.37）は見られなかった。頸の付け根にしま状の模様があった。

モノニクス
Mononykus
意味：1つの爪

アルヴァレスサウルス科
白亜紀後期・昆虫食性・体長1m
化石の産出地：モンゴル・中国

　短い前肢の先端に大きな爪（第1指）が1つだけ突き出ていることから命名された。これは穴掘り動物（アリクイなど）の前肢に似ており，昆虫の巣を壊すのに使われていたと考えられている。体形はダチョウに似ているが，長い尾があった。鳥類のように竜骨突起のある胸骨（→p.58 図2）があり，腓骨は退化しているため，当初は飛べなくなった鳥だと考えられていた。欠じり状の歯がある。羽毛が生えていたという証拠はないが，近縁種のシュヴウイアに羽毛の痕跡が認められた。

テリジノサウルス
Therizinosaurus
意味：大鎌トカゲ

獣脚類・テリジノサウルス類
白亜紀後期・植食性・体長10m
化石の産出地：モンゴル

　テリジノサウルス類の最大種。前肢は長く，最大90cmに達する巨大なかぎ爪が3本ある。上顎と下顎に鋸歯（ギザギザ）のあるスペード形の小さな歯があったが，前上顎骨には歯がなく嘴状になっていた。後肢の第1指が地面に接する四趾足（一般に獣脚類は三趾足）。尾は短い。恥骨は後ろ向き（一般に獣脚類では前向きになる）。羽毛の痕跡のある化石はまだ見つかっていないが，近縁のベイピアオサウルスに羽毛の痕跡が見られる。

ガウディプテリクスの左前肢

初列風切（→ p.49）は対称形。飛翔のための羽ではなく、飾りと考えられる

I

II

次列風切（→ p.49）はない
風切瘤（→ p.23）もない

ガウディプテリクス
Caudipteryx
意味：尾羽

獣脚類・オヴィラプトロサウルス類
ジュラ紀後期あるいは白亜紀前期・
雑食性・体長 0.4m
化石の産地：中国

　正羽状の羽（→ p.37）が初めて
確認された恐竜。体形はダチョウに
似ているが，短い尾があった。前上
顎骨（ぜんじょうがくこつ）に針状の歯が4本見つかった
が，上顎骨と歯骨（しこつ）（下あご）には歯
がなかった。前肢に正羽状の羽（羽
弁は対称形）が付着して翼状の構造
物をつくるが，翼は小さく，飛べな
かった。尺骨（しゃっこつ）に風切瘤（かざきりこぶ）（→ p.23）
は見られなかった。また，尾の先端
に尾羽（羽弁は対称形）があり，背
中・胸・尾の基部に綿羽状の羽の痕
跡が認められた。胃石があった。

※別表記
カウディプテリクス

シチパチ　　意味：火葬用の薪を守るチベット仏教の神様の名前
Citipati

獣脚類・オヴィラプトロサウルス類　　　白亜紀後期・雑食性・体長 2.5 m
化石の産出地：モンゴル

　赤い砂岩から化石が見つかり，それが炎の輪の中央で踊る骸骨（シチパ
チ神）を連想させるところから命名された。外観はダチョウに似ているが，
短い尾があった。また，頭部にヒクイドリのような骨性のとさかがあった。
卵を抱いた状態の化石も見つかっており，鳥のように親が卵を温めていた
と考えられる。胃石があった。羽毛の痕跡のある化石は発見されていないが，
近縁のガウディプテリクスに羽毛の痕跡が見られる。

ヴェロキラプトル
Velociraptor

意味：すばしこい略奪者

獣脚類・ドロマエオサウルス科
白亜紀後期・肉食性・体長 2m
化石の産地：モンゴル・中国

　恐竜映画『ジュラシック・パーク』で一躍有名になった（実際のモデルは近縁種のデイノニクス）。叉骨（→ p.26）・胸骨・風切瘤（→ p.23）・鉤状突起があり，手首の手根骨は半月状と鳥類との解剖学的共通点が多く，鳥類に最も近い恐竜の一つと考えられている。前肢に翼状の構造物があったと考えられるが，前肢は短く飛翔はできなかった。後肢の第Ⅱ趾のかぎ爪を上に引き上げられる過伸展で半二趾足。

デイノニクス
Deinonychus
意味：恐ろしい爪

獣脚類・ドロマエオサウルス科
白亜紀後期・肉食性・体長 3m
化石の産地：アメリカ

　恐竜学者ジョン・オストロムが「鳥類の恐竜起源説」を唱えるきっかけとなった恐竜。その骨格は始祖鳥と瓜二つであったため，本種にも羽毛が生えていたと考えられた。手首にある手根骨（しゅこんこつ）は半月状で，鳥が翼をたたむように，手が横に曲がる（マニラプトル類共通の特徴）。後肢の第Ⅱ趾は過伸展で半二趾足（ディノニコサウルス類共通の特徴）。尾の先端から 2/3 は棒状でほとんど曲げることができなかった（ドロマエオサウルス類共通の特徴）。

半二趾足
(Semididactyl foot)

後肢の第Ⅱ趾はネコの爪のように上に引き上げられる（過伸展）

Ⅰ

Ⅱ

Ⅲ

Ⅳ

MO
2022

ミクロラプトル
Microraptor
意味：小さな略奪者

獣脚類・ドロマエオサウルス科
白亜紀前期・肉食性・体長 0.7 m
化石の産出地：中国

　前肢と後肢に合計 4 つの翼をもつ飛翔性の恐竜で，外観は鳥類学者ビーブが考えた仮想の原始鳥類「テトラプテリクス」に酷似するが，現生鳥類の直接の祖先ではない。現生鳥類と同じように，第 II 指・中手骨（こつ）・尺骨（しゃっこつ）に風切羽（かざきりばね）（→ p.49）が付着していた。また第 I 指に 2，3 枚の小さな羽（小翼羽（しょうよくう）→ p.49）が付着していた。保存されていたメラノソームの分析から，全身カラスのような黒色で，光の当たり方により虹色に輝いていたと考えられている。後肢の第 II 趾は過伸展（かしんてん）（→ p.35）だった。樹上性。

シノルニトサウルス
Sinornithosaurus
意味：中国の鳥トカゲ

獣脚類・ドロマエオサウルス科
白亜紀前期・肉食性・体長1m
化石の産地：中国

　骨格はシソチョウ（始祖鳥）によく似ており，鳥の化石によく見られるように，うつ伏せ，または仰向けの状態で化石になっているものがある。前肢が長いので，樹上性だった可能性あり。後肢の第Ⅱ趾は過伸展で半二趾足。ほぼ全身が羽毛で覆われ，前肢には正羽状の羽（小羽枝［→ p.49］はない）が見られるが，風切羽ではなく，飛ぶことはできなかった。羽毛から赤・茶・黒・灰色などの色をもたらすメラノソームが見つかった。

正羽 _{せい う}

　木の葉状の羽で羽軸と羽弁からなり，成鳥のほぼ全身を覆っている。生えている部位によって，風切羽・雨覆羽・体羽・尾羽などに分類される（→ p.49）。恐竜の中では，ガウデヴィプテリクスで初めて正羽状の羽が見つかった。

羽軸
羽弁

風切羽（初列風切）　風切羽（次列風切）　尾羽

キジバトの正羽

ステノニコサウルス
Stenonychosaurus
意味：細い腕のトカゲ

獣脚類・トロオドン科
白亜紀後期・肉食性・体長 2.5 m
化石の産出地：北米

　歯に大きな鋸歯（ギザギザ）があ
る。眼球は大きく，眼はやや前向き
で立体視が可能だった。卵の上に成
体が覆いかぶさっている化石が見つ
かっており，鳥のように抱卵してい
たと考えられている。脳も比較的大
きいことから，知能の高い恐竜だっ
たと考えられており，本種が絶滅せ
ずに進化していたらヒト型の動物
（ディノサウロイド）に進化してい
たと想像されている。後肢の第Ⅱ趾
は過伸展で半二趾足（→ p.35）。

ペリット

鳥類や爬虫類は，胃で消化できなかった骨や毛を吐き出す習性があり，その吐き出されたものをペリットという。中身を分析することで，その動物の食性が具体的にわかる。化石動物では，プレシオサウルスやアンキオルニスで喉に残ったペリットが見つかっている。

フクロウのペリット

アンキオルニス
Anchiornis
意味：ほとんど鳥

獣脚類・トロオドン科
ジュラ紀後期・肉食性・体長 0.4 m
化石の産出地：中国

これまで発見された中で最古の飛翔性恐竜の一種。全身に羽毛の痕跡が見られた。前肢と後肢に正羽状の羽（→ p.37）が並び，翼状となっていた。羽弁は羽軸を中心に対称形で飛翔性の鳥の風切羽とは異なるが（→ p.49），ムササビのように樹間を滑空していたと考えられる。保存されていたメラノソームの分析から全身の色がわかっており，頭部に赤い羽があった。後肢の第 II 趾は過伸展で半二趾足（→ p.35）。ある標本では，喉にペリット（トカゲや魚の骨を含む）と思われる痕跡が残っていた。

アルカエオプテリクスの
左翼下面

アルカエオプテリクス
Archaeopteryx
意味：古代の翼，和名はシソチョウ（始祖鳥）

獣脚類・原鳥類
ジュラ紀後期・肉食性・体長 0.5 m，
翼開長 0.7 m
化石の産出地：ドイツ

　ほぼ全身羽毛に覆われ，叉骨（さこつ）もあること
から，伝統的に鳥類と見なされてきたが，
分類学的には恐竜のドロマエオサウルス類
やトロオドン類に近い。初列風切は非対称
形なので，ある程度飛翔できたと考えられ
る（→ p.49）。第 I 趾は当初後ろ向きと考
えられていたが，実際は横向き。後肢の第
II 趾は過伸展（かしんてん）で半二趾足（はんにしそく）（→ p.35）。脱
落した 1 枚の羽に保存されたメラノソーム
の分析から羽が黒色であることがわかった。
地上性だが木に登ることもできた。

イー・チー
Yi qi
意味：中国語で「奇妙な翼」

獣脚類・スカンソリオプテリクス科
ジュラ紀中～後期・肉食性・体長 0.6 m
化石の産出地：中国

　コウモリのような皮膜でできた翼をもつ小型恐竜。前肢の 3 本の指の間に皮膜があり，手首から尖筆状突起（せんぴつ）が伸びていた。翼になっている前肢の 3 本の指のうち，第III指が最長（一般に獣脚類では，第II指が最長）。標本では下半身が保存されておらず，皮膜がどこまで伸びていたのかわからない。同科のエピデキシプテリクスのように尾は短いが，4 枚の長い尾羽（飾り羽）が生えていたと推測されている。なお「Yi qi」は，生物の中で最も短い学名の一つ。

クリンダドロメウス
Kulindadromeus
意味：クリンダ（地名）の走者

鳥盤類・新鳥盤類
ジュラ紀中期〜後期・植食性・
体長 1.5m
化石の産出地：ロシア

　頸〜尾が羽毛に覆われていた。3
タイプの羽毛のようなの構造物（3
× 20mm のリボン状のもの，10
〜 30mm の糸状のもの，10 〜
15mm の糸状で1つのうろこから
6 〜 7本まとまって生えているも
の）と，3タイプのうろこ（小さく
丸い，六角形，やや弓なりの長方形）
が共存していた。本種は恐竜の系統
樹では根元に近いところに位置する
恐竜であることから，恐竜はその初
期から羽毛をもっていた可能性があ
る。二足歩行性。

プシッタコサウルス
Psittacosaurus
意味：オウムトカゲ

鳥盤類・ケラトプス類
白亜紀前期・植食性・体長 1.5m
化石の産地：中国・モンゴル・ロシア・タイ

　羽毛が確認された最初の鳥盤類。あごの先端がオウムのような嘴になっている。頬の部分にトゲ状の突起がある。前肢の指は 4 本（一般にケラトプス類は 5 本）。皮膚に保存されていたメラノソームから全身の色がわかっており，背面が暗褐色で腹面が明色だった（カウンターシェーディング）。尾の背面に羽軸のような中空の長い剛毛が数十本生えていた。この発見から，羽毛は獣脚類だけではなく，恐竜類全体に存在していた可能性が出てきた。二足歩行性。

ニュロン
ong
国語で「天宇（自然史博物館）の竜」

ヘテロドントサウルス類
期・雑食性・体長 0.7m
地：中国

確認された鳥盤類としては 2 例目で，ほぼ全身フィラメ羽毛に覆われていた。また，頸～尾に羽軸のような中空毛が生えていた。眼球は大きい。あごの先端は嘴になっ哺乳類の切歯・犬歯・臼歯のように区別できる歯をもつ（分テロドントサウルスとは，「異なる歯をもつトカゲ」を意尾は長く，二足歩行性か半四足歩行性と考えられている。

ティアンユロン

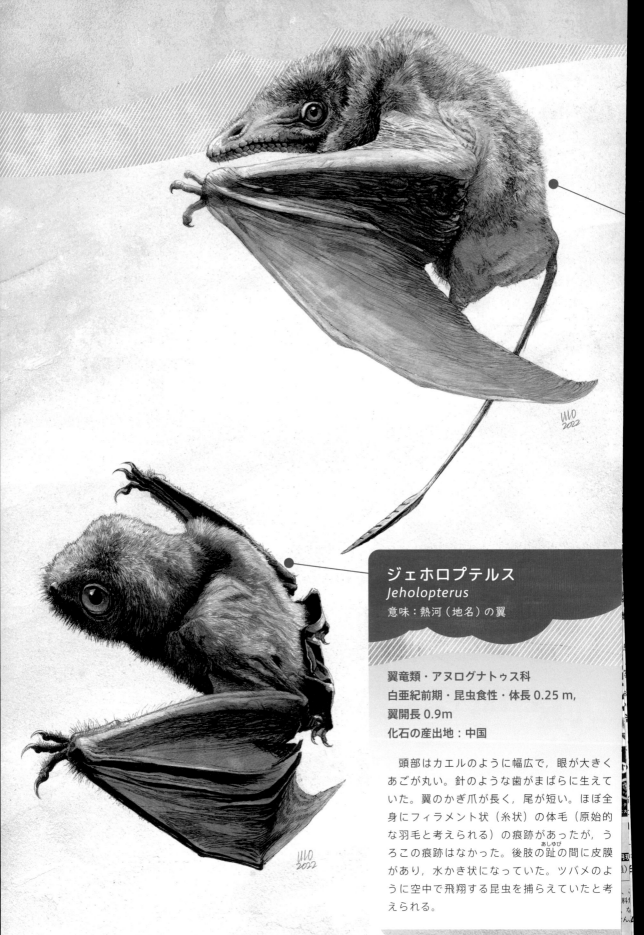

ジェホロプテルス
Jeholopterus
意味：熱河（地名）の翼

翼竜類・アヌログナトゥス科
白亜紀前期・昆虫食性・体長 0.25 m,
翼開長 0.9m
化石の産出地：中国

　頭部はカエルのように幅広で，眼が大きく
あごが丸い。針のような歯がまばらに生えて
いた。翼のかぎ爪が長く，尾が短い。ほぼ全
身にフィラメント状（糸状）の体毛（原始的
な羽毛と考えられる）の痕跡があったが，う
ろこの痕跡はなかった。後肢の趾の間に皮膜
があり，水かき状になっていた。ツバメのよ
うに空中で飛翔する昆虫を捕らえていたと考
えられる。

翼竜の翼

ソルデス
Sordes
意味：邪悪なもの

翼竜類・ランフォリンクス科
ジュラ紀後期・魚食性・体長 0.5 m，翼開長 0.6 m
化石の産出地：カザフスタン

　体毛の痕跡が発見された最初の翼竜。長くて密な体毛が体全体を覆っていたことから，翼竜は温血性（内温性）と考えられた。しかし，ほかの翼竜の標本には体毛の痕跡が見られないことから，長らく疑問視されていた。体形はコウモリに似ており，翼は短く，丸みがあった。歯はまばらに生えていた。尾は長く，先端がオール状になっていた。後肢の第Ⅴ趾は長くかぎ状で，翼膜の後縁を広げていたと考えられる。うろこの痕跡は見られなかった。

引用文献

Altangerel P et al. (1993) Flightless bird from the cretaceous of Mogolia. Nature 362 : 623-626.

Chen P et al. (1998) An exceptionally well-preserved theropod dinosaur from the Yixian Formation of China. Nature 391 : 147-152.

Godefroit P et al. (2014) A Jurassic ornithischian dinosaur from Siberia with both feathers and scales. Science 345 : 451-455.

Hu D et al. (2009) A pre-Archaeopteryx troodontid theropod from China with long feathers on the metatarsus. Nature 461 : 640-643.

Ji Q et al. (1998) Two feathered dinosaurs from northeastern China. Nature 393 : 753-761.

Lee Y et al. (2014) Resolving the long-standing enigmas of a giant ornithomimosaur Deinocheirus mirificus. Nature 515 : 257-260.

Li Q et al. (2010) Plumage color pattern of an extinct dinosaur. Science 327 : 1369-1372.

Li Q et al. (2012) Reconstruction of Microraptor and the evolution of iridescent plumage. Science 335 : 1215-1219.

Mayr G et al. (2005) A well-preserved Archaeopteryx specimen with theropod features. Science 310 : 1483-1486.

ナッシュD & バレットP (2019) 恐竜の教科書. 創元社, 大阪.

Norell MA et al. (1995) A nesting dinosaur. Nature 378 : 774-776.

Norell MA et al. (1997) A Velociraptor wishbone. Nature 389 : 447.

Ortega F et al. (2007) A bizarre, humped Carcharodontosauria (Theropoda) from the Lower Cretaceous of Spain. Nature 467 : 203-206.

Paul GS (2002) Dinosaurs of the Air. The Johns Hopkins University Press, Baltimore.

Paul GS (2016) The Princeton Field Guide to Dinosaurs 2nd ed.. Princeton University Press, Princeton.

Paul GS (2022) The Princeton Field Guide to Pterosaurs. Princeton University Press, Princeton.

Turner AH et al. (2007) Feather quill knobs in the dinosaur Velociraptor. Science 317 : 1721.

ヴェルンホファーP (1993) 動物大百科別巻2翼竜. 平凡社, 東京.

Witton MP (2013) Pterosaurs. Princeton University Press, Princeton.

Xheng X et al. (2009) An early cretaceous heterodontosaurid dinosaur with filamentous integumentary structures. Nature 458 : 333-336.

Xu X et al. (1999) A therizinosauroid dinosaur with integumentary structures from China. Nature 399 : 350-354.

Xu X et al. (1999) A dromaeosaurid dinosaur with a filamentous integument from the Yixan Formation of China. Nature 401 : 262-266.

Xu X et al. (2001) Branched integumental structures in Sinornithosaurus and the origin of feathers. Nature 410 : 200-204.

Xu X et al. (2003) Four-winged dinosaurs from China. Nature 421 : 335-339.

Xu X et al. (2004) Basal tyrannosauroids from China and evidence for protofeathers in tyrannosauroides. Nature 431 : 680-684.

Xu X et al. (2012) A gigantic feathered dinosaur from the Lower Cretaceous of China. Nature 484 : 92-95.

Xu X et al. (2015) A bizarre Jurassic maniraptran theropod with preserved evidence of membranous wings. Nature 52 : 170-73.

Zhang F et al. (2010) Fossilized melanosomes and the colour of Cretaceous dinosaurs and birds. Nature 463 : 1075-1078.

Zheng X et al. (2009) An early Cretaceous heterodontosaurid dinosaur with filamentous integumentary structure. Nature 458 : 333-336.

Zelenitsky DK et al. (2012) Feathered non-avian dinosaurs from North America provide insight into wing origins. Science 338 : 510-514.

羽毛恐竜研究史

文／山﨑優佑

～人はいつから，恐竜に羽毛を生やしたか

羽毛恐竜の存在が知られる前，図鑑に描かれる恐竜は「大きなトカゲ」であった。それが様変わりしたのはごく最近，20世紀末からの研究の成果だ。羽毛恐竜はどのように私たちの前に姿を現したのか，人と羽毛恐竜の歴史をひもといてみよう。

※本稿の参考文献は104ページに掲載しています。

1990年代以降，中国を中心に羽毛の痕跡がある恐竜(以下，羽毛恐竜)の化石が見つかっている。ここでは羽毛恐竜の発見やそれに関連する研究の歴史をひもとき，羽毛恐竜の研究が進むことで将来どんなことが解明されていくのかについて紹介する。

恐竜にも羽毛が生えていた

羽毛恐竜と人類との歴史は1996年に始まった。この年，中国の遼寧省で見つかった小型獣脚類の化石には繊維状の羽毛が残されており，シノサウロプテリクスという名で報告された[1]。この羽毛は保温に使われていたと考えられている(**図1**)[2]。それ以降，羽毛恐竜の化石が続々と発見され，繊維状ではなく，現在の鳥にも見られるような羽軸と羽弁がある羽毛をもつ羽毛恐竜の化石も見つかった[3]。2000年代に同じ遼寧省で見つかったミクロラプトルは四肢に風切羽をもち[4]，木から木への滑空が可能だったと考えられている。"飛翔のための羽毛"ともいえる風切羽をもつ羽毛恐竜の発見や研究によって，鳥類の飛翔の進化に新たな知見が得られることが期待されている[5]。

また，現在産出している化石では羽毛の痕跡が見つかっていなく

とも，その生存時には羽毛が生えていたと考えられている恐竜もいる。例えば映画『ジュラシック・パーク』シリーズに登場した小型肉食恐竜ヴェロキラプトルは劇中，うろこに覆われた体で再現されている。しかし前肢（腕）の骨を調査した結果，羽毛が生えていた痕跡に似た突起物（翼羽乳頭→p.11）が見つかったことから羽毛恐竜と示唆されている[6]。

さらに，従来では不可能とされてきた，生時の体色の推定も羽毛恐竜では行われている。例えばアンキオルニスの羽毛化石から色彩を決めるメラノソームという細胞小器官が見つかり，この形を現生鳥類の羽毛と比較し，生時の体色が推定された（→p.56）[7]。なお，アンキオルニスは複数の化石で調査が行われ，個体によってメラノソームの形が異なる結果が出ている[8]。その理由はまだわかっていないが，現生の鳥には雌雄や季節によって羽毛の色が変わる種もいる。もしかしたら羽毛恐竜はすでに，このような形質を獲得していたのかもしれない。

このほかにも羽毛恐竜の化石はたくさん発見されており，「鳥は恐竜である」という説をより有力なものにした。しかしその一方で，もはやどこまでが恐竜で，どこからが鳥なのか，その線引きが難しくなってきていることもまた事実である。

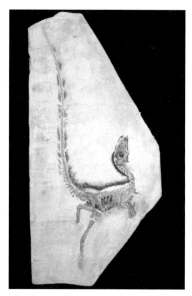

図1 シノサウロプテリクスの化石。体の周辺に羽毛の痕跡がある
（所蔵／神流町恐竜センター）

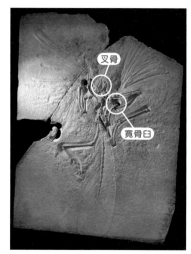

叉骨
寛骨臼

図2 1861年に発見された始祖鳥の化石。羽毛の痕跡や叉骨，穴の開いた寛骨臼など鳥の特徴が確認できる

鳥類恐竜起源説の研究史

　実は羽毛恐竜の化石が発見される前から，恐竜には羽毛が生えていたのではないかと考えていた学者もいた[9]。その理由は，羽毛恐竜の発見前から，鳥は恐竜であるという説が有力視されていたからである。

　この説が初めて登場したのは19世紀中ごろ，日本が江戸から明治に移り変わろうとしていたときである。1861年，ドイツのバイエルン州ゾルンホーフェン地域で，ある動物の化石が発見された。詳細な調査を行った結果，この動物は鳥の1種であることがわかり[10,11]，「始祖鳥」と呼ばれている。なお，始祖鳥の化石はこれより前にも発掘されている[12]。この化石には羽の痕跡が残っており，さらに寛骨臼という大腿骨が接している骨盤の部分には穴が開いていた（図2）。これは鳥類の骨格の大きな特徴である。一方，長い尾の骨や手指の湾曲した爪など，鳥類には見られない特徴もあった。このことからイギリスの生物学者トマス・ヘンリー・ハクスリーは，始祖鳥はどの現生鳥類よりも爬虫類的な特徴をもち，鳥類は爬虫類から進化した生物であると1868年に発表した。またハクスリーは恐竜も鳥類同様，寛骨臼の穴などの特徴をもつことから，最も鳥類に近い爬虫類であると説明し[13]，中でも体長60cmほどで二足歩行をしたとされる小型の獣脚類恐竜コンプソグナトゥスは，当時見つかっていたどの恐竜よりも鳥類の祖先に近いと考えていた（図3）。

　その後20世紀になると，鳥類が爬虫類から進化したという説は支持するものの，恐竜であるという説には否定的な研究者が現れた。

図3　コンプソグナトゥスの化石
（所蔵／群馬県立自然史博物館）

その理由の一つに，鳥類には叉骨があるが，当時の恐竜化石からは見つかっていないことが挙げられた[14]。この主張とほぼ同時期，実はモンゴルのゴビ砂漠で発見されたオヴィラプトルの化石からは叉骨が見つかっていたのだが[15,16]，この発見は当時ほとんど注目されず「鳥は恐竜である」という説は長い間否定され続けてきた。なお，現在ではオヴィラプトル以外にも複数の恐竜化石から叉骨は見つかっている（図4）[17]。

　それから約50年後の1970年代，アメリカの古生物学者ジョン・オストロムは，始祖鳥とコエルロサウルス類の骨格を比較した研究を行い，それによって鳥は恐竜であるという説が，再び脚光を浴びるようになった。コエルロサウルス類とは恐竜の分類群の一つで，先に挙げたコンプソグナトゥスやオヴィラプトル，ヴェロキラプトルなどが含まれる。オストロムは，始祖鳥は骨格だけ見ると現生鳥類よりもコエルロサウルス類に似ていると説明し，複数の共通点を見つけている（図5）[14]。一方，当時はワニも鳥類の祖先の有力候補として挙げられていた。現生のワニ

図4　オヴィラプトルの近縁種ヘーユアンニア Heyuannia yanshini の化石。
◯内が叉骨
（所蔵／神流町恐竜センター）

と鳥類はまったく姿が似ていないが，ワニと中生代の鳥類の歯には共通する特徴があると考えられていた[18]。しかし，1980年代に行われたコエルロサウルス類のトロオドン科の研究でも同様の特徴が見つかり[19]，その後もさらに研究が続いた結果，鳥とワニだけがもつ特徴はなくなった一方，恐竜と鳥だけに共通する特徴は複数存在することとなった[9]。

　このような研究を経て，鳥は恐竜であるという説は有力となってきたため，1996年のシノサウロプテリクスの発見前から，すでに羽毛恐竜の絵が描かれた恐竜の本が出版されるケースもあった[20]。一方，羽毛恐竜の発見後も，一部の研究者は前肢（手）の3本の指について，鳥は人差し指・中指・薬指なのに対し，コエルロサウルス類は親指・人差し指・中指と構成が違う可能性を指摘していた[21]。しかし2011年に発表された

（図5）左上：始祖鳥（所蔵／群馬県立自然史博物館），
左下：ハシボソガラスの骨格（所蔵／我孫子市鳥の博物館，撮影／中村利和），
右：コエルロサウルス類の１種デイノニクス（所蔵／群馬県立自然史博物館）

研究で両者とも指は親指・人差し指・中指と同じであることが示され，矛盾は解消された[*22]。

羽毛や飛翔の進化の謎を解明する手掛かりに

　羽毛恐竜の発見によって，鳥は恐竜であるという説はより有力なものになった。現在は羽毛そのものの進化の研究によって，羽毛は以下のような段階を経て進化したと考えられている（→p.8，49）[*23]。

①羽囊という筒状の繊維の状態
②1本の根から複数の繊維が出ている状態
③羽軸ができ，その両側に羽枝がある。さらに羽枝の両側に小羽枝が出た状態
④羽枝間の小羽枝同士が絡みからみあい羽弁を形成した状態
⑤羽軸を境に羽弁の幅の広さが異なる状態

　冒頭のシノサウロプテリクスは①か②の段階と考えられており，これは恐竜と翼竜の共通祖先の時点で獲得されたことが示唆されている[*24]。一方，④以降はミクロラプトルやアンキオルニスなど，より鳥類に近縁と考えられるコエルロサウルス類でのみ見つかっている。なお，アンキオルニスからは現生鳥類からは確認されていない形の羽毛も見つかっている。羽毛は私たちが思っている以上にもっと複雑な進化を遂げてきてきた

のかもしれない[*25]。

　また，鳥の飛翔能力の獲得については昔から研究が続いている。1915年に発表された理論では現生鳥類や始祖鳥の祖先は後肢にも翼をもち，パラシュートのように飛んでいたとされ[*26]，実際に後肢にも翼をもつミクロラプトルのような羽毛恐竜が見つかったことで，この説が再び注目されることとなった（図6）。ほかにも地上を走り，助走をつけて飛翔したなどといった説もあるが（→p.10），結論は現在も出ていない[*27]。

　こうして19世紀から今世紀にかけて，鳥と恐竜，羽毛恐竜の研究は発展してきた。今後，さらなる発見や研究が進むことで，羽毛や飛翔などの進化についてもっと解明されていくだろう。

図6 後肢にも翼があったと考えられている恐竜の化石
（所蔵／学校法人城西大学水田記念博物館大石化石ギャラリー）

現生鳥類の羽と翼

構成／BIRDER

　現生鳥類の羽や翼は羽毛恐竜と比べ，より飛行に特化した形へと変わっている。羽で最も多いのは木の葉のような形の正羽（→p.37）で，細かく見ると羽軸は最も太い軸，羽枝は羽軸から出る細い枝，小羽枝は羽枝から出るさらに細い枝である。隣りあった小羽枝はファスナーのように絡まり，羽全体で板状の羽弁をつくっている。飛行に重要な羽は羽軸を中心に非対称のことが多い。

　飛行では翼と尾羽が重要な役割をもち，特に翼にはさまざまな形の羽が生えている。各種の風切羽は揚力や推進力を，雨覆羽は空気抵抗を減らしている。小翼羽は第I指骨（人でいう親指）から生えており，この羽だけを独立して動かせる。急降下や低速時の安定飛行に役立つとされる。尾羽は旋回や方向転換のときのコントロールを担っている。

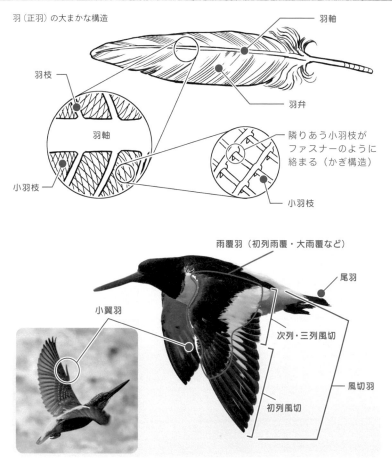

羽（正羽）の大まかな構造

羽軸

羽枝

羽弁

羽軸

小羽枝

隣りあう小羽枝が
ファスナーのように
絡まる（かぎ構造）

小羽枝

雨覆羽（初列雨覆・大雨覆など）

尾羽

小翼羽

次列・三列風切

初列風切

風切羽

飛行するカワセミ（左）とミヤコドリ（右）（撮影／中村友洋）

日本の羽毛恐竜・絶滅鳥類研究の最先端

文・図／河部壮一郎

近年，日本は他国に比肩する恐竜発見国になっている。それは羽毛恐竜や絶滅鳥類の分野でも例外ではない。日本の恐竜研究のメッカでもある福井から，世界を驚かす研究の成果を紹介しよう。

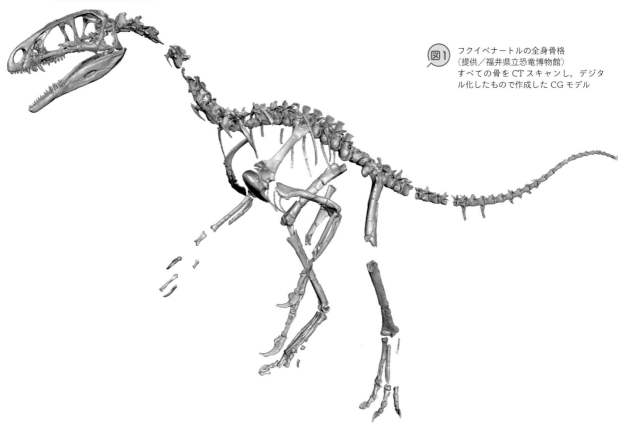

図1 フクイベナートルの全身骨格
（提供／福井県立恐竜博物館）
すべての骨を CT スキャンし，デジタル化したもので作成した CG モデル

BIRDER2016年12月号で掲載した「福井で羽毛恐竜発見! 日本の太古の翼のなぞを探る」という記事では，福井県勝山市の恐竜化石産地から発見されたフクイベナートル *Fukuivenator paradoxus* が比較的鳥類に近い羽毛恐竜に属すること，同産地から2013年に原始的な鳥類の化石が発見されたことを紹介した。その後の筆者らの研究で，このフクイベナートルと原始的な鳥類について，いずれも劇的に理解が進み，興味深い新知見が得られたので，改めてここで紹介しよう。

獣脚類の草食化への道すじを示すフクイベナートル

福井県勝山市北谷町には，前期白亜紀の地層（約1億2000万年前）が分布している。ここからは羽毛恐竜フクイベナートルをはじめ，5種の恐竜が見つかっている[※1]。フクイベナートルが新種の恐竜として発表された2016年当時，この恐竜の分類は，ざっくりとマニラプトル類という大きなグループのどこかに属する，比較的鳥類に近い恐竜というところまでしか特定できていなかった。

フクイベナートルは全身の骨の約7割，200近くが見つかり，抜群の保存状態のよさを誇る（図1）。しかし発見当時，部位が特定できなかったり，岩石から化石を取り除くクリーニングがうまくできないものもあった。また骨格や歯の形態からこの恐竜が雑食性であることはわかっていたが，どのような系統の中で雑食性へと進化していったのかなどはまったくわかっていなかった。筆者らは2020〜21年に，これらの未解決の課題が残されていたフクイベナートルをCTスキャナにかけ，徹底的に解析をやり直した。

図2 フクイプテリクスの全身骨格CGモデル（左）と生態復元CGモデル（右：作成／神戸芸術工科大学吉田雅則准教授）

　その結果，フクイベナートルはマニラプトル類の中でもテリジノサウルス類の最も基盤的[2]な恐竜であることが判明した。テリジノサウルス類は，獣脚類の中でも草食性に特化した一大グループとして知られている。この成果は，テリジノサウルス類が肉食性から雑食性を経て草食性へと進化したという道すじを私たちに示し，草食の羽毛恐竜の進化がどのように起こったのか，その一端を教えてくれるものとなった。

鳥の尾の進化に一石を投じたフクイプテリクス

　2013年に見つかった鳥類化石は，その全身の骨格が三次元情報までもきれいに保存されているという点で，白亜紀の鳥類化石としては世界的にも稀な標本だ。しかし，岩石と化石が分離しづらく，物理的なクリーニングには限界があった。そこで筆者らはCTスキャンを駆使して，この鳥類の全身の骨をデジタル上で一つずつ抽出して組み上げた。その結果，この鳥類は始祖鳥を除けば最も基盤的であることがわかり，2019年にフクイプテリクス・プリマ Fukuipteryx prima と名付けられた（図2）。

　実はフクイプテリクスの発見は，これまで考えられていた鳥類進化の流れの見直しを迫るものとなった。現生種を含む，派生的[3]鳥類の尾の先は，尾椎がいくつか癒合して尾端骨を形成している。一方で始祖鳥やジェホロルニスといった基盤的鳥類に尾端骨は見られず，恐竜の尾のように尾椎はそれぞれが独立している。そのため，これらよりも派生的な鳥類は「尾端骨類」という大きなグループにまとめられると考えられていた。ところが，ジェホロルニスより基盤的なフクイプテリクスの尾には尾端骨がある。つまり，従来の考えでいえば尾端骨類ではないはずの鳥類に尾端骨があることになる。これは尾端骨の進化の理解を大きく改める必要性を示すものだ。

　このように，日本から見つかった羽毛恐竜と絶滅鳥類は，恐竜と鳥類の進化の解明に大きく貢献し，そして私たちに新たな謎も投げかけている。一方で，これらの化石が見つかった現場からは，明らかに新種であろうそのほかの恐竜や，それ以外の脊椎動物の化石がまだまだ見つかっている。このような化石をさらに研究していくことで，羽毛恐竜や鳥類の謎のさらなる解明に貢献していくことだろう。

※1
あと4種はフクイラプトル（獣脚類），フクイサウルス（鳥脚類），フクイティタン（竜脚類），コシサウルス（鳥脚類）。

※2
p.19参照。

※3
上記の「基盤的」と対になる言葉。系統樹でいえば，ある分類群の根元に位置する生物（＝基盤的な生物）から生じた生物を指す。

羽毛恐竜
研究の本場，中国の研究事情

文・写真・イラスト／黒須球子

1996年のシノサウロプテリクス以降，現在に至るまで羽毛恐竜研究のトップランナーであり続ける中国。現地での研究の様子やトレンドについてレポートしてもらおう。

羽毛恐竜界をリードする中国

「ねぇ，チォズ（球子）。この写真を見てよ」

——ある野外調査の際，リダがそう切り出した。シン・リダ（邢立達）は中国地質大学（北京）の准教授にして，おそらく中国で最も有名な古生物学者の一人だ。彼はとても気さくな人で，世紀の大発見をいとも簡単に見せてくれた。驚くべきことに，彼の携帯には動物の尻尾? が入った琥珀が写っている（**図1**）。「え，すごい! 」と驚く筆者に，「こういうのがほかにもたくさんあるんだ」と彼は笑ってみせた。

中国は90年代の中華竜鳥（シノサウロプテリクス）の発見以降，アジアの恐竜研究の最前線を走り続ける国である。恐竜の羽毛化石は現在，ヨーロッパ，北米，オーストラリアなど世界各地で知られているが，質・量のいずれの意味でも，中国はいまだに世界最大の羽毛恐竜化石の産地である。これは遼寧省義県層など，世界でも有数の「ラーガー・シュテッテン」が存在するためだ（**図2**）。本稿では中国の研究事情について，筆者の体験を交えながら紹介しよう。

中国のミクロラプトル研究史

中国の古生物学の研究拠点は，北京の中国科学院古人類・古脊椎動物研究所（IVPP）と，南京の中国科学院南京地質古生物研究所が有名である。前者は「北古所（ベイグースォ）」と呼ばれ，中国の古脊椎動物研究の中心地に

なっている。対して後者は「南古所（ナングースォ）」と呼ばれ，無脊椎動物や微化石研究の一大拠点として知られる。

中国の恐竜研究者の多くは，北京の古脊椎動物研究所か，もしくは各地の地質博物館，または大学組織に所属している。シュウ・シン（徐星）もその一人だ。彼は古脊椎動物研究所の古脊椎動物学者で，数十種を超える新種の恐竜を記載している。その中には羽毛恐竜のグアンロン，ディロング，ユーティラヌスのほか，ミクロラプトルも含まれる。

ミクロラプトル（**図3**）は小型の羽毛をもつドロマエオサウルス類で，中国の羽毛恐竜を代表する恐竜の一つだ。標本数が非常に多く，博物館や個人コレクションを含めると，300個以上の標本数になると考えられている。ところが

図1 琥珀の中に恐竜のしっぽが!? 白亜紀のミャンマー産の琥珀の中には，思いもよらない生物の遺骸が閉じ込められている

図2 遼寧省熱河層群の両生類化石。軟組織の印象や一部の色素も残る。こうした保存状態が非常によい化石が産出する堆積層をドイツ語で「ラーガー・シュテッテン（Lagerstätten）」と呼ぶ

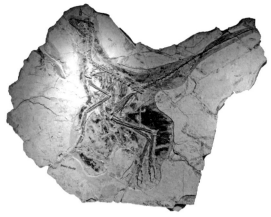

(図3) シュウ・シン（徐星）の研究した代表的な恐竜の一つ，ミクロラプトル・グイ。前肢と後肢に合わせて4枚の翼をもつ

(図4) ジュラ紀の獣脚類，アンキオルニスの標本。ミクロラプトルと同じように，アンキオルニスも羽毛の色が科学的に研究された恐竜の一つ。この標本は北京自然博物館に所蔵された，3番目のアンキオルニス（No. BMNHC PH828）のもの

最初の標本は1999年に「アーケオラプトル（Archaeoraptor）」という新種の恐竜として発表されたものの，実は「ヤオルニス（Yanornis）」という既知の初期鳥類の上半身と，未記載の恐竜の下半身（これが後にミクロラプトル・ジャオイアヌスMicroraptor zhaoianusと命名される）を合成して作られたキメラ恐竜だったという経緯がある。シュウ・シンはこれらの経緯を踏まえてミクロラプトル・ジャオイアヌスを慎重に記載すると同時に，別標本であるミクロラプトル・グイM. guiの研究から，鳥類の飛行起源に関する新しい知見をもたらした。

ミクロラプトルの色に関する研究は，中国地質大学（北京）のリ・チャングオ（李全国）のチームが有名である。彼らはミクロラプトル，シノサウロプテリクス，アンキオルニス（**図4**）などの羽毛の化石に含まれるメラノソームの形状から，羽毛の色を推定した。ミクロラプトルはカラスのような黒く輝く羽をもっていたと考えられている。

冒頭で紹介したシン・リダも同

じ中国地質大学所属の古生物学者で，ミャンマー産の琥珀研究で話題になった。エラの微細な構造まで残るカニや，昆虫，カタツムリ，そしてコエルロサウルス類のものと思われる恐竜の尾や，鳥類の足の化石など，多彩な標本が知られている。これらは，普通の化石では保存されない三次元構造が奇跡的に保たれている。

以上のように，中国の古生物学は現在も急激な成長を続けており，さまざまな生物でさまざまな研究手法が開発されている。その中でも，恐竜と鳥類の関係性を巡る研究は，非常に注目度の高い分野といってよいだろう。その鍵の一端を担う羽毛恐竜の研究は，中国の内部でも熱いテーマなのだ。今後，どんなニュースが中国から届くのか，筆者も楽しみにしている。

参考文献

Alexander, D.E.; Gong, E.; Martin, L.D.; Burnham, D.A.; Falk, A.R. (2010). "Model tests of gliding with different hindwing configurations in the four-winged dromaeosaurid Microraptor gui". Proceedings of the National Academy of Sciences, USA. 107 (7): 2972–2976. dromaeosaurid Microraptor gui. Proceedings of the National Academy of Sciences of the United States of America 107 7, 2972–2976.

*5
Pei, R., Pittman, M., Goloboff, P, A., Dececchi, T, A., Habib, M, B., Kaye, T, G., Larsson, H, C, E., Norell, M, A., Brusatte, S, L., & Xu, X. (2020) Potential for Powered Flight Neared by Most Close Avialan Relatives, but Few Crossed Its Thresholds. Current Biology, 4033-4046.

*6
Tennekes, H. (1996) The Simple Science of Flight: From Insects to Jumbo Jets. Cambridge, MA: MIT Press. (テネケス, H., 高橋健次 (訳). (1999) 鳥と飛行機どこがちがうか―飛行の科学入門 草思社 201pp)

*7
Bock, W, J. (2013) The Furcula and the Evolution of Avian Flight. Paleontological Journal 47, 1236–1244.

*8
Evangelista, D., Cardona, G., Guenther-Gleason, E., Huynh, T., Kwong, A., Marks, D., Ray, N., Tisbe, A., Tse, K., Koehl, M. (2014) Aerodynamic characteristics of a feathered dinosaur measured using physical models. effects of form on static stability and control effectiveness. PLoS ONE 9:e85203.

*9
Senter, P. (2006) Scapular orientation in theropods and basal birds, and the origin of flapping flight. Acta Palaeontologica Polonica, 51, 305–313.

*10
Dececchi, T, A., Larsson, H, C, E., Habib, M, B. (2016) The wings before the bird: an evaluation of flapping-based locomotory hypotheses in bird antecedents. PeerJ 4, e2159.

*11
Voeten D, F, A, E., Cubo, J., de, Margerie, E., Röper, M., Beyrand, V., Bureš, S., Tafereau, P., Sanchez, S. (2018) Wing bone geometry reveals active flight in Archaeopteryx. Nature communications 9, 923.

始祖鳥や羽毛恐竜は飛べたのか？

文・写真／山﨑優佑

翼の起源がディスプレイなど，飛翔に限らないとしても，立派な翼を見ると，飛べたのでは？と期待してしまう。実際，羽毛恐竜の飛行能力はどの程度だったのだろうか？

翼だけでは飛べない？

現生の多くの鳥類は空を飛ぶことができる。では，始祖鳥や羽毛恐竜は飛べたのだろうか？

これを調べるため，さまざまな手法で研究が行われてきた。その中に，鳥類と体の形を比較する方法がある。鳥類は翼を使って飛ぶが，飛ぶためには体の大きさに対して大きな翼が必要だ。例えばカモの仲間には飛べない種や，場合によっては飛べなくなる種がいるが，このような種は翼面荷重[※1]が$200N/㎡$を越えている[*1]。また，飛翔できる鳥類は発達した胸部の筋肉を翼を動かすのに使うなど，飛ぶことに適したさまざまな特徴をもつが，これらの特徴を始祖鳥や羽毛恐竜ももっていたのかどうかについて研究されている。また，羽毛恐竜のモデルで実験を行う方法で，飛行能力が研究されたこともあり，コンピューター上のモデルで解析した例と[*2]，実際に模型を作って実験をした例などがある[*3]。後者の場合でも，固定させた模型に人工的に発生させた風を当てて生じる力を測定する風洞実験や（**図1**）[*3]，実際に飛ばして試した実験がある[*4]。

図1 風洞実験用の羽毛恐竜の模型（アンキオルニス）
製作／角田和彦

飛べた！…けれど

このようにさまざまな視点から検証が行われた結果，始祖鳥や一部の羽毛恐竜は飛ぶことができたと多くの研究で支持されている。始祖鳥やミクロラプトル，アンキオルニスなどは，体重や翼面積を推定したところ，翼面荷重が$200N/㎡$をずっと下回る数値だった[*5]。これらの種の翼面積は体の大きさが近い鳥類と比較しても見劣りをしない大きさだったのだ（**表**）[*6]。

しかし，これらの生物が現生鳥類と同じくらいの飛行能力だったとは考えられていない。例えば始祖鳥の化石からは竜骨突起[※2]が見つかっておらず，現生鳥類ほど胸部に発達した筋肉はなかったと考えられており[*7]，ミクロラプトルやアンキオルニスも竜骨突起が化石から見つかっていないので同様と推測されている。ミクロラプトルは風洞実験も行われ，安定して滑空した場合の揚抗比は4.7という結果であった[*3]。「揚抗比」とは揚力と抗力[※3]の比率で，この数値が高いほどエネルギー的に効率よく飛ぶことができる[*6]。現生鳥類の揚抗比では，セグロカモメなどがミクロラプトルの倍以上の数値である[*6]。このことから，ミクロラプトルは現生鳥類ほど飛行能力が発達していなかったと推測される。

また，ミクロラプトルやアンキオルニスなど一部の羽毛恐竜には鳥類と違って足（後肢）にも翼があった（**図1**）。これは飛行中，

表 羽毛恐竜と鳥類（白色部分は現生鳥類）の体重と翼面積，翼面荷重。
Pei et al. (2020)[*5] と Tennekes (1996)[*6] を引用
※体重の単位（N）は重力を示し，以下のような関係となる
【重力（N）＝質量（kg）× 9.8 (m/s2)】

種名	体重（N）	翼面積（m²）	翼面荷重（N/m²）
カワラバト	2.50	0.060	41.667
ユリカモメ	2.60	0.085	30.588
バン	3.00	0.040	75.000
始祖鳥（ベルリン標本）	3.43	0.048	71.608
アンキオルニス	3.80	0.037	102.858
コミミズク	3.90	0.140	27.857
ハヤブサ	8.00	0.130	61.538
ミクロラプトル	8.80	0.124	70.829
オナガガモ	9.50	0.084	113.095
セグロカモメ	11.00	0.210	52.381

 図2 羽毛恐竜は腕を高く上げられなかった可能性がある

足や尾を使って体勢が崩れないよう，バランスを取っていたのではないかと考えられている[*8]。

　始祖鳥や羽毛恐竜の羽ばたき飛翔についても議論されており，羽ばたいて飛んでいなかったと考えられる理由として，竜骨突起の化石が見つかっていないことや[*7]，肩甲骨の向きが現生鳥類のような大きな羽ばたきができないものだったことなどが挙げられている（図2）[*9]。一方で大きな羽ばたきはできなかったとしても，始祖鳥やミクロラプトルは理論上，離陸は可能だったとする研究もある[*10]。また始祖鳥の前肢の骨の断面は，滑空する鳥類よりも羽ばたいて飛ぶ鳥類に似ていたことから[*11]，羽ばたいて飛んでいた可能性も指摘されている。このよう

に，始祖鳥や羽毛恐竜の羽ばたきについてもさまざまな意見があり，今も結論が出ていない。

　以上のことから，鳥類と比べると能力は劣っていたが，始祖鳥や羽毛恐竜は飛ぶことができたと考えられている。そのため，鳥類の飛翔の起源や進化を知るうえで，羽毛恐竜の研究は必要不可欠なものとなっている。

※1
翼にかかる単位面積当たりの重量

※2
鳥の胸骨から張りだした大きな突起で，羽ばたくのに必要な筋肉がついている（→ p.58 図2）

※3
物体を空気や水の流れの中に置くと，物体は流れから力を受ける。この力のうち，流れの方向の成分を「抗力」，流れに垂直な方向の成分を「揚力」という

参考文献

*1
Guillemette, M., & Ouellet, J-F. (2005) Temporary flightlessness in pre-laying Common Eiders Somateria mollissima: are females constrained by excessive wing-loading or by minimal flight muscle ratio? Ibis 147, 293–300

*2
Chatterjee, S., & Templin, R, J. (2007) Biplane wing planform and flight performance of the feathered dinosaur Microraptor gui. Proceedings of the National Academy of Sciences of the United States of America 104, 1576–80.

*3
Dyke, G., de, Kat, R., Palmer, C., der, van, Kindere, J., Naish, D., & Ganapathisubramani, B. (2013) Aerodynamic performance of the feathered dinosaur Microraptor and the evolution of feathered flight. Nature Communications 4, 2489

*4
Alexander, D, E., Gong, E., Martin, L, D., Burnham, D, A., Falk, A, R. (2010) Model tests of gliding with different hindwing configurations in the four-winged dromaeosaurid Microraptor gui. Proceedings of the National Academy of Sciences of the United States of America 107 7, 2972–2976.

*5
Pei, R., Pittman, M., Goloboff, P, A., Dececchi, T, A., Habib, M, B., Kaye, T, G., Larsson, H, C, E., Norell, M, A., Brusatte, S, L., & Xu, X. (2020) Potential for Powered Flight Neared by Most Close Avialan Relatives, but Few Crossed Its Thresholds. Current Biology, 4033-4046.

*6
Tennekes, H. (1996) The Simple Science of Flight: From Insects to Jumbo Jets. Cambridge, MA: MIT Press.（テネケス, H., 高橋健次（訳）. (1999) 鳥と飛行機どこがちがうか—飛行の科学入門 草思社 201pp）

*7
Bock, W, J. (2013) The Furcula and the Evolution of Avian Flight. Paleontological Journal 47, 1236–1244.

*8
Evangelista, D., Cardona, G., Guenther-Gleason, E., Huynh, T., Kwong, A., Marks, D., Ray, N., Tisbe, A., Tse, K., Koehl, M. (2014) Aerodynamic characteristics of a feathered dinosaur measured using physical models. effects of form on static stability and control effectiveness. PLoS ONE 9:e85203.

*9
Senter, P. (2006) Scapular orientation in theropods and basal birds, and the origin of flapping flight. Acta Palaeontologica Polonica, 51, 305–313.

*10
Dececchi, T, A., Larsson, H, C, E., Habib, M, B. (2016) The wings before the bird: an evaluation of flapping-based locomotory hypotheses in bird antecedents. PeerJ 4, e2159.

*11
Voeten D, F, A, E., Cubo, J., de, Margerie, E., Röper, M., Beyrand, V., Bureš, S., Tafforeau, P., Sanchez, S. (2018) Wing bone geometry reveals active flight in Archaeopteryx. Nature communications 9, 923.

色づきはじめた恐竜たち

文／青塚圭一　イラスト／北川麻衣子

本屋に並ぶ恐竜図鑑を見ると，本によって同じ恐竜でも色が違うことはよくある。しかし近年，ある種の羽毛恐竜はどの図鑑を開いても，必ず同じ模様や色で描かれている。これは画期的なことだ。でも，化石には色の情報が残らないはずなのに，なぜ色がわかったのだろう？

化石から色を読み解く

「恐竜って何色だったの？」

子どもたちからの無邪気な質問に対し，「恐竜の色はわからない」というのが古生物学者の決まり文句だった。なぜなら，色そのものは化石として残らないからである。そのため，図鑑に載っている恐竜の色は，描き手の想像によって決められてきた。嘘だと思う人は恐竜図鑑を2冊開いてみるといい。おそらく同じ恐竜でも違う色で描かれているはずだ。つまり，幼稚園児が力いっぱいに描いた恐竜のぬりえも，図鑑に載っている色鮮やかな恐竜も，タイムマシンを使って実物を確認できないことには，その色を否定も肯定もできなかったのである。

しかし，2010年になってタイムマシンを使わずとも，恐竜の色を復元できたという大発見があった！ シノサウロプテリクスは世界で初めて羽毛の痕跡が確認され，鳥類が恐竜から進化したとする説の有力な根拠となった恐竜である[図1]。この恐竜の羽毛の痕跡を走査型電子顕微鏡（SEM）で観察したところ，なんとメラニンという色素を含む細胞小器官「メラノソーム」が確認されたのだ。メラニンは鳥類の羽毛の色を構成する主要な色素の一つであるため，この発見は恐竜の羽毛の色を解き明かす重要な鍵となった。とはいえ，SEMを通して見えたものは，メラノソームの痕跡，つまりは形であって，色そのものが見えたわけではない。では，どうして色の復元ができたのだろうか？

メラノソームは "絵の具" の化石

実はメラノソームの形は色と関係がある。メラノソームには球状のものと棒状のものがあり，前者は赤褐色〜黄色の明色を示すフェオメラニン，後者は黒色〜灰色といった暗色を示すユーメラニンという異なるメラニンをもつことが知られている（→p.66 図1）。鳥類の羽毛の色の決定には，それぞれのメラニンの密度や分布が関係していることから，メラノソームの痕跡を手掛かりとすれば，化石となった羽毛の色が推定できるというのである。このアイデアに基づき，シノサウロプテリクスの羽毛部分を観察してみると，球状のメラノソームが確認され，この恐竜は赤褐色の羽毛を背中に生やし，尻尾にはストライプ模様があったことがわかったのだ！ [図2] メラノソームは "絵の具" の化石として，恐竜の世界に初めて科学的な色をもたらしたのである。

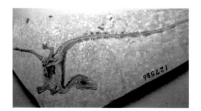

図1 世界で最初に発見された羽毛恐竜・シノサウロプテリクスの化石（Wikipedia より 内蒙古博物院蔵 ©Sam/Olai Ose/Skjaer）

この方法はほかの羽毛恐竜でも用いられた。例えばアンキオルニスは全身に羽毛をもち，前後肢に翼がある恐竜だが，その翼や体の羽毛からは棒状，鶏冠（とさか）の部分からは球状のメラノソームが多く見られた。その結果，アンキオルニスの翼は白と黒のツートンカラーで，鶏冠は赤く，まるで現生のキツツキ類のアカゲラのような色であったことが判明したのだ［図3］。また，化石鳥類の代表格である始祖鳥は，これまで黄色や青色といったド派手な色で描かれることが多かったが，昨今の研究では少なくとも羽毛の一部がカラスのように黒かったことがわかったのである。始祖鳥は意外と地味な色だったのかもしれない。

復元した色は正しいのか？

このような研究が進めば，子どもたちが好きな色で恐竜のぬりえができない時代が訪れるかもしれない。子どもの描いたぬりえにイチャモンをつける大人気ない大人にはなりたくないが，科学とは時に想像力を砕いてしまうものである。

しかし，ちょっと思い起こしてほしい。防虫剤を入れて片付けておい

【図2】
シノサウロプテリクスの復元図。羽毛の色は赤褐色で，尻尾にはストライプ模様があった

【図3】
アンキオルニスの復元図。翼部分は白と黒が入り交じり，鶏冠（とさか）は赤色をしていたと推定される。現生のキツツキのアカゲラ（写真）に似た配色だ

アカゲラ（撮影／中村友洋）

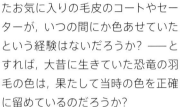

たお気に入りの毛皮のコートやセーターが，いつの間にか色あせていたという経験はないだろうか？――とすれば，大昔に生きていた恐竜の羽毛の色は，果たして当時の色を正確に留めているのだろうか？

このことについて，興味深い実験結果が2013年に発表されている。現生の鳥類の羽毛を高温・高圧下に置いておくと，メラノソームの形状に変化が起き，羽毛の色が変わるというのである。ご存じの通り，生物の遺骸が化石になるまでには何万年，何千万年，ときには何億年もの間，地層の積み重なりによる圧力や地熱などの影響を受けている。そのため，メラノソームによる色の復元は，生物が生きていた当時の色そのものを示すとは限らないのである。

また，鳥類の羽毛はメラニンのほか，カロテノイドとポルフィリンという主に3種類の色素によってさまざまな色を生み出している。しかし，メラニン以外の色素の痕跡が化石として発見されたという報告は，これまでのところされていない。さらに，食物や光の影響で羽毛の色が決まる例もある。例えば，フラミンゴの鮮やかなピンク色は赤色の色素をもつ藻類を摂取することで生み出されており，もともとの色は白い。また，カワセミや雄のマガモの羽毛は見る角度によって異なる色を発するが，これは羽毛の微細構造が光を散乱させて起こる「構造色」によるものである。これらのことを化石から調べるのは容易なことではない。

しかし，研究者たちは新たな手法を取り入れて，この謎に挑んでいる。近年では現生の鳥の羽毛の色とメラノソームの形の関係性を徹底的に比較し，系統関係と組み合わせることで，これまで困難とされてきた構造色を含む化石鳥類の羽毛の推定をしたとする研究もある。さらに驚くべきは保存状態の極めてよい恐竜の皮膚化石を質量分析することで，メラニン色素の種類を特定し，体色を推定したとする報告もあるのだ。このような研究が進めば，コンゴウインコや極楽鳥のような，色鮮やかな恐竜たちの姿が見えてくるのかもしれない。ついに科学的な根拠とともに色づきはじめた恐竜たちの世界から，ますます目が離せない。

参考文献
Babarović et al. (2019) Characterization of melanosomes involved in the production of non-iridescent structural feather colours and their detection in the fossil record. Journal of Royal Society Interface 16: 20180921.
Brown et al. (2017) An exceptionally preserved three-dimensional armored dinosaur reveals insights into coloration and Cretaceous predator-prey dynamics. Current Biology 27: 2514–2521.
Carney et al. (2012) New evidence on the colour and nature of the isolated Archaeopteryx feather. Nature communications 3: 637.
Li et al. (2010) Plumage color patterns of an extinct dinosaur. Science. 327: 1369–1372.
McNamara, M. E., et al. (2013) Experimental maturation of feathers: implications for reconstructions of fossil feather colour. Biology letters 9: 1-6.
Zhang et al. (2010) Fossilized melanosomes and the colour of Cretaceous dinosaurs and birds. Nature 463: 1075–1078.

「鳥の形」はどう獲得されたか

～羽毛恐竜から鳥類への道

文／山﨑優佑

嘴や竜骨突起といった現生の鳥がもつ特徴は，中生代の時点で出現していたが，それらは段階的に得られたものらしい。そしてより「鳥っぽさ」をもつ生物が，あの大量絶滅を生き残ったという。鳥の形は生存にどう影響したのだろうか？

かなり違う，始祖鳥と現生の鳥類

始祖鳥は2023年現在，見つかっている中で最古の鳥の一つである。羽毛や叉骨があり，指の数は手が3本，足は4本など，鳥類の特徴を化石から確認できる。しかし，鳥類と始祖鳥の骨格を見比べると，似ているとはいいがたい（図1，表）。鳥類は骨同士が癒合し，始祖鳥と比べて少なくなっている。例えば，鳥類のⅡ，Ⅲ，Ⅳ趾の中足骨は1本の骨になっており，さらに一部の足根骨と癒合している（足根中足骨，図2）。

骨同士の癒合で軽量化されていると考えられている[1]。しかし，始祖鳥の中足骨はこのような形をしていない。

また，鳥類の胸の骨は非常に大きく，竜骨突起と呼ばれる部分に大胸筋と烏口上筋（鶏肉でいうところのささ身）が付着している（図2）。これらの筋肉を使うことで鳥類は力強く羽ばたいて空を飛ぶことができる[1]。一方の始祖鳥は，化石から胸骨が見つかっていないため，竜骨突起はなかったと考えられている（図1）。

さらに鳥類の中には一見，長い尾をもつ種がいるが，あれは尾羽が長いのであって，尾の骨である尾椎は癒合し，尾端骨という骨になっている（図2）。それに対し，始祖鳥の尾にはたくさんの尾椎が並ぶ（図1）[2]。加えて鳥類には歯がないが，始祖鳥にはあった。

骨格だけでなく，翼を形成する羽毛にも違いがあった。始祖鳥の雨覆羽は風切羽をほぼ覆ってしまうほど長かったとされる。このことから始祖鳥の翼は，鳥類と比べて羽ばたきに適さない形だったと考えられている[3]。また，始祖鳥の化石からは飛行の安定に役立つとされる小翼羽が見つかっていない[※]。

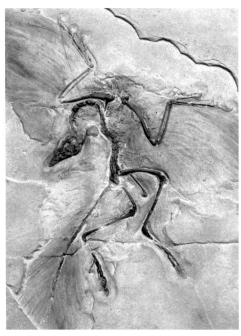

図1　始祖鳥の化石

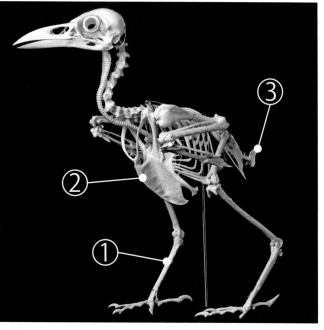

図2　①中足骨（足根中足骨），②胸骨と竜骨突起，③尾端骨
（ハシボソガラス：所蔵／我孫子市鳥の博物館，撮影／中村利和）

このように始祖鳥と鳥類ではいくつもの違いがあった。ここでは鳥類の形がどう獲得され，それによって行動や運動能力にどのような変化が生じたと考えられているのか紹介する。なお，本稿では便宜上，「鳥類」とはスズメ目からダチョウ目までの分類群のみを指し，始祖鳥などこの分類群に入らない種も含めた場合は「鳥群」と表記する（→p.11）。

まず尾が短くなった

尾が縮小し，尾端骨をもった鳥群を「パイゴスティリア類」という（図3）[1]。始祖鳥は長い尾を安定した飛翔に利用していたが，パイゴスティリア類は尾が短くなったことで，その役割を翼が行うようになったと推測されている[4]。パイゴスティリア類には鳥類のほかに孔子鳥

（コンフシウソルニス）という，約1億2000万年前の中国に生息していた鳥群がいる（図4）。この孔子鳥は雨覆の長さが初列風切の半分以下だったが[3]，竜骨突起や小翼羽はなく，おそらく鳥類ほどの飛翔能力はなかったと考えられる[※]。

※風切羽，雨覆羽，小翼羽の説明は p.49 参照

竜骨突起と小翼羽で飛翔力アップ

パイゴスティリア類の中で竜骨突起をもつグループは「鳥胸類」と呼ばれる。ほかの特徴として前肢の指が癒合していることや，小翼羽をもつといった点があり[1]，「エナンティオルニス類」と「オルニスロモルファ類」の2つの分類群で構成されている（図3）[1]。

エナンティオルニス類は白亜紀で最も繁栄し，多様化した分類群だったと考えられ，世界各地で化石が発見されている[5, 6, 7]。また，マーティンアヴィス（*Martinavis*）のように南米やヨーロッパで化石が発見された種もおり[8]，飛んで海を越えることができた可能性がある。しかし，エナンティオルニス類は白亜紀末に起きた大量絶滅で絶滅した。

一方のオルニスロモルファ類にはすべての鳥類が含まれる。ダチョウなど竜骨突起がない種も一部いる

表 始祖鳥とハシボソガラスの体の形の比較。黄色の部分が両者の共通項目

項目	始祖鳥	ハシボソガラス
歯の有無	ある	ない
叉骨	ある	ある
手（前肢）の指	3 本	3 本
手（前肢）の指のかぎ爪	ある	ない
手根骨と中手骨	癒合しない	癒合する
胸骨	ない or 軟骨	ある
竜骨突起	ない	ある
寛骨臼の穴	ある	ある
足（後肢）の指	4 本	4 本
足（後肢）の指のかぎ爪	ある	ある
中足骨	癒合しない	癒合する
尾	20 個以上の尾椎	尾端骨
気腔がある骨	ある	ある
羽毛	ある	ある
風切羽	ある	ある

図3 鳥の系統の概略図（＊ 1，5 を参考に作成）

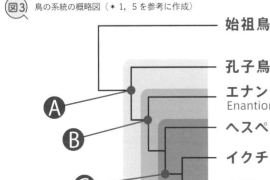

始祖鳥
孔子鳥
エナンティオルニス類 Enantiornithes
ヘスペロルニス
イクチオルニス
鳥類

Ⓐ 尾端骨を獲得
Ⓑ 竜骨突起、手根中手骨、小翼羽などを取得
Ⓒ 歯を消失、嘴を獲得

パイゴスティリア類 Pygostylia
鳥胸類 Ornithothoraces
オルニスロモルファ類 Ornithuromorpha

が，これらも飛翔できる種から進化したと考えられている[9]。白亜紀にはイクチオルニスという，飛翔能力のある鳥類とよく似た骨格をもつ種のほか，ヘスペロルニスなど飛翔能力を失った潜水性の種などがいた（図5-6）[1, 5]。どちらも系統的には鳥類と近縁と考えられているが，歯をもっていた。

エナンティオルニス類とオルニスロモルファ類は肩甲骨と烏口骨の関節面の形状が異なる。前者は関節面が突起状なのに対し，後者は関節面がくぼんでいるか，平坦な形をしている[6, 10]。また，鳥類など一部のオルニスロモルファ類は，ほかの鳥胸類と比べて竜骨突起が特に発達しており，より大きな力で羽ばたいて離陸できたと推測される[11]。

歯をなくして孵化までを時短

鳥類は白亜紀にはすでに出現していたと考えられている。ベルギーの白亜紀後期の地層から発見されたアステリオルニスもその一つで（図7），現生のキジ目やカモ目との近縁種と考えられており，歯はなく嘴をもっていた[12]。ちなみに歯を消失した鳥群は，孔子鳥など鳥類以外にもいた。さらに鳥群以外でもコエルロサウルス類には歯がない種がいた。これらは鳥類とは別に，独自に歯をなくす進化をしたと考えられている[13]。

鳥類は歯をなくすことで孵化期間が短くなった可能性がある[13]。鳥群に近縁で，歯をもち，抱卵していたと考えられている獣脚類のトロオドン科の孵化期間は，卵の大きさが同じ場合，爬虫類よりは短いが鳥類よりは長いという結果であった[14]。鳥類のほうが孵化の期間が短い理由の1つに，歯の形成の有無が関係しているという説がある[13]。この解明には歯をもった鳥の孵化期間についての研究が必要だが，歯がないことで孵化までの期間が短くなり，捕食や自然災害などによる死亡リスクが低下して，生き延びるのに有利だったかもしれない[13]。

なぜ鳥類は大量絶滅を乗り切ったのか？

6600万年前，隕石の衝突などが影響して生じたと考えられている大量絶滅が起きた。これによって多くの生物が絶滅し，新生代の地層から化石が見つかっていないことから，歯をもつ鳥はすべて中生代で絶滅したと考えられている。そして生き延びた鳥類がその後多様化し，今日に至っていると考えられている（図8）[15]。なぜ鳥群の中で，鳥類だけ絶滅を免れただろうのか？

（図5）イクチオルニス
Ichthyornis dispar
（イラスト／長手彩夏）

（図6）ヘスペロルニス
Hesperornis regalis
（イラスト／長手彩夏）

（図7）アステリオルニス
Asteriornis maastrichtensis
（イラスト／長手彩夏）

1つ目の仮説は食性が関係した説である。中生代の鳥群では，主に歯をもつ種は肉食で，鳥類のような歯のない種は種子食だったと考えられている[16]。隕石衝突後も食物となる植物の種子は残ったため，歯のない鳥類が生存できた可能性がある。しかし，歯があっても種子は採食できるので，この説だけですべて説明するのは難しい[17]。

2つ目の仮説は白亜紀末の鳥類が地上性だったという説である。隕石衝突では地球規模で森林が破壊された。同時期に繁栄していたエナンティオルニス類の多くは後肢の指の形から樹上性と考えられており，森林破壊によって絶滅へとつながったのではないかと考えられている。一方，鳥類の祖先は形質を調べた結果，樹林性だった可能性は低いことがわかっている。そのため森林破壊による被害はそれほど大きくなく，生き

図8 大量絶滅を生き延びた鳥類
（イラスト／長手彩夏）

延びられたと考えられている[17]。しかし，絶滅した生物には樹上性でない鳥群や恐竜もいたので，やはりこれだけで説明するのも困難である。

このように，鳥群の中で鳥類の祖先だけが生き残り，それ以外の鳥群や恐竜たちが絶滅した理由は今でもはっきりとはわかっていない。この謎を解明するには今後さらなる発見や研究が必要である。

参考文献
*1
Fastovsky, D.E., & Weishampel, D. B., (2012) Dinosaurs: A Concise Natural History second edition. Cambridge University Press. (ファストフスキー，D. E., & ヴァイシャンペル，D. B., 真鍋真(監訳)，藤原慎一(訳)，松本涼子(訳)，(2015) 恐竜学入門―かたち・生態・絶滅(日本語訳) 東京化学同人 396pp)
*2
Wellnhofer, P. (2008) ARCHAEOPTERYX: Der Urvogel von Solnhofen Pfeil, Dr. Friedrich 256pp
*3
Longrich, N. R., Vinther, J., Meng, Q., Li, Q. & Russell, A. P. (2012) Primitive wing feather arrangement in Archaeopteryx lithographica and Anchiornis huxleyi. Current Biology 22, 2262–2267.
*4
Evangelista, D., Cam, S., Huynh, T., Kwong, A., Mehrabani, H., Tse, K., & Dudley, R.. (2014) Shifts in stability and control effectiveness during evolution of Paraves support aerial maneuvering hypotheses for flight origins. PeerJ, 2:e632. doi: 10.7717/peerj.632.
*5
Brusatte, S. L., O'Connor, J. K., & Jarvis, E. D. (2015) The origin and diversification of birds. Current Biology 25, 888–898.
*6
Walker, C. A. (1981) New subclass of birds from the Cretaceous of South America. Nature Volume 292, 51–53
*7
Sanz, J. L., Buscalioni, A. D. (1992) A new bird from the Early Cretaceous of Las Hoyas, Spain, and the early radiation of birds. Palaeontology 35 (4), 829–845.
*8
Walker, C. A., Buffetaut, E., & Dyke, G. J. (2007) Large euenantiornithine birds from the Cretaceous of southern France, North America and Argentina. Geological Magazine 144, 977–986.
*9
Harshman. J., Braun, E. L., Braun, M. J., Huddleston, C. J., Bowie, R. C. K., Chojnowski, J. L., Hackett, S. J., Han, K. L., Kimball, R. T., Marks, B. D., Miglia, K. J., Moore, W. S., Reddy, S., Sheldon, F. H., Steadman, D. W., Steppan, S. J., Witt, C. C., Yuri, T. (2008) Phylogenomic evidence for multiple losses of flight in ratite birds. Proceedings of the National Academy of Sciences 105, 13462–13467
*10
Mayr, G. (2021) The coracoscapular joint of neornithine birds—extensive homoplasy in a widely neglected articular surface of the avian pectoral girdle and its possible functional correlates. Zoomorphology 140, 217–228.
*11
Mayr, G. (2017) Pectoral girdle morphology of Mesozoic birds and the evolution of the avian supracoracoideus muscle. Journal of Ornithology volume 158, 859–867
*12
Field, D. J., Benito, J., Chen, A., Jagt, K. M. W., Ksepka, D. T. (2020) Late Cretaceous neornithine from Europe illuminates the origins of crown birds. Nature 579, 397–401.
*13
Yang, T-R & Sander, P. M. (2018) The origin of the bird's beak: new insights from dinosaur incubation periods. Biology Letters 14, 20180090.
*14
Varricchio, D. J., Kundrat, M., & Hogan, J. (2018) An Intermediate Incubation Period and Primitive Brooding in a Theropod Dinosaur. Scientific Reports 8, 12454.
*15
Jarvis, E. D., Mirarab, S., Aberer, A. J., Li, B., Houde, P., Li, C., Ho, B. S.Y., Faircloth, C., Nabholz, B., Howard, J. T., et al. (2014) Whole-genome analyses resolve early branches in the tree of life of modern birds. Science, 346, 1320-1331.
*16
Larson, D, W., Brown, C. M., Evans, D. C. (2016) Dental disparity and ecological stability in bird-like dinosaurs prior to the end-Cretaceous mass extinction. Current Biology 26, 1325–1333.
*17
Field, D. J., Bercovici, A., Berv, J. S., Dunn, R., Fastovsky, D. E., Lyson, T. R., Vajda, V., & Gauthier, J. A. (2018) Early evolution of modern birds structured by global forest collapse at the end-Cretaceous mass extinction. Current Biology 28, 1825–1831.

「鳥らしい形」のレシピを探る

～進化発生学から見た、恐竜から鳥への進化の仕組み

文・図／田村宏治，藤橋さやか，竹田山原楽

今と昔で作るものが同じなら，その作り方だって同じはずだ。今の鳥が受け継いできた羽や足といった「形のレシピ」を解明すれば，羽毛恐竜や初期の鳥が，どうやってレシピを獲得したかがわかるかもしれない。

受け継がれるレシピ

　進化発生学とは，現生生物のさまざまな特徴がどうつくられたかを比較・理解することで，過去の生物がその特徴をつくる仕組みをどのように進化させてきたかを推定する学問である（**図1**）。

　現生の鳥類には羽毛に代表されるような，鳥類でしか見られない形態的特徴がたくさんある。これらは鳥が卵の中で胚として発生し，ヒナとして生まれ，成鳥にまで成熟する過程でつくられる。鳥類共通の特徴であれば，どの鳥も皆同じ仕組みでつくられているはずだ。例えば「鳥が各々の進化の過程で別々に風切羽を作り出した」と考えるより，「初期の鳥類，もしくは羽毛恐竜に属する共通の祖先が獲得した風切羽を作る仕組みを，

各々の鳥が受け継いだ」というシナリオのほうが考えやすい。この理屈が正しいなら，現生鳥類の特徴の作られ方，すなわち形態形成の仕組みが理解できれば，初期の鳥類やその祖先である恐竜がもっていた特徴の形成の仕組みもさかのぼって推定することが可能だ──これが進化発生学的な考え方である。

　羽毛だけでなく，嘴や気嚢や含気骨[※1]など，鳥類全体と祖先群の動物でのみ共有されている特徴（しばしば「共有派生形質」と呼ばれる）について，現生鳥類における形態形成の仕組みを明らかにすることで，過去に生きていた鳥や恐竜がどのような形態形成の仕組みを獲得したかを推定できるというわけである。

つくる手順が変わることも

　現生鳥類における形態形成の仕組みを理解すれば，形態の変遷，すなわち進化にも言及できる。例えば羽毛について（**図2**），恐竜がもった初期の羽毛は比較的単純で，綿羽のようであった。その後，左右対称な正羽（→p.37）をもつ羽毛恐竜が現れ，さらに風切羽をもつ動物が進化してきた。一方で，現生鳥類の羽毛の発生を見ると，卵の中の胚発生過程でまず綿羽（幼綿羽）がつくられ，孵化後の最初の換羽で正羽が現れる。このように，現生鳥類での形態形成の仕組みも，単純な綿羽が先に作られた後に正羽が形成されるので，個体発生の過程が進化の過程の順番をなぞっているようにも見える。

　しかし，進化上の順番としては正羽のさらに後で登場する風切羽が，個体発生でも最後に作られるかというとそうではない。むしろ風切羽は正羽よりもずっと早く，卵の中の胚発生の過程ですでにつくられており，順番が初期から大胆に変更されている（Kondo et al., 2018）。形態がつくられる過程が進化の順序を再現する場合もあるが，この例のように，かなり根本的に形態形成の仕組みを変えることで，新しい形態が進化する場合もあるようだ。

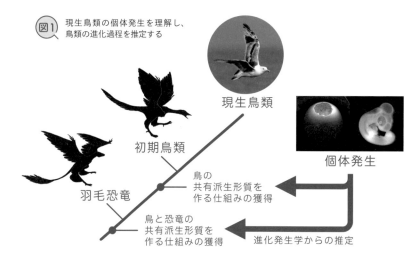

図1 現生鳥類の個体発生を理解し、鳥類の進化過程を推定する

現生鳥類

初期鳥類

羽毛恐竜

個体発生

鳥の共有派生形質を作る仕組みの獲得

鳥と恐竜の共有派生形質を作る仕組みの獲得

進化発生学からの推定

足と肩に注目

恐竜にはなかったが鳥類にはあるような形質をつくる仕組みは，恐竜から鳥類への進化で起きたさまざまな変化の推定に利用できる。ここでは私たちの研究室で注目している2つの共有派生形質について述べよう。1つ目は骨の癒合である。鳥類の骨格は胸骨や複合仙骨，尾端骨，足根中足骨など各所で癒合し，特に中足骨（足の甲の骨）の癒合は初期の鳥類で起きたと考えられている（**図3**）。羽毛恐竜や初期の鳥類には，癒合しない中足骨のものもいたので，鳥類の初期進化の過程で特定の骨だけを癒合させる，何らかの仕組みが生み出されたようだ。

2つ目は肩の構造である。羽ばたき飛翔を可能にする鳥類特有の肩の構造，三骨間孔[2]と肩峰烏口突起も初期の鳥類で進化した構造だ（**図3**）。この構造のおかげで，胸筋の一つである烏口上筋（いわゆる「ささみ肉」）が収縮し，翼（前肢）を背中側に大きく振り上げる鳥類特有の羽ばたき飛翔が可能となった。したがって，現生鳥類でこの構造がどうできるか明らかにすることが，鳥類が空を飛ぶことを可能にした形態形成の進化の理解につながると考えられる。

動物の形態形成の仕組みは，基本的にゲノム（遺伝情報）として細胞の中に格納されている（田村，2022）。なので，その仕組みが理解できれば，進化を進めたゲノム変更の履歴までをも理解する道が拓ける。"鳥らしさ"として認識される鳥類の共有派生形質の形態形成とその進化を理解することは，どうして鳥類が比較的短期間に10,000種にまで拡大し，地球全体で繁栄できたかを理解する大きな一助となるだろう。

※1
気嚢は鳥類の肺に付属し，中に空気を満たす薄い袋状の器官で呼吸を助ける。含気骨は内部に空気の入った空洞がある骨で，骨の軽量化に役立つ。

※2
鳥類では，烏口骨の骨端にフック構造（肩峰烏口突起）が発達する。これによって肩甲骨，叉骨，烏口骨が組み合わさり，烏口上筋の腱が通る穴（三骨間孔）ができる。烏口上筋の腱がこの穴を通って上腕骨の背側に付くために，滑車のような原理で翼の打ち上げが可能となる。

引用文献
Kondo, M., Sekine T., Miyakoshi, T., Kitajima, K., Egawa, S., Seki, R., Abe, G., and Tamura, K. (2018). Flight feather development: its early specialization during embryogenesis. Zoological Letters, 4, 2.
田村宏治．(2022) 進化の謎をとく発生学：恐竜も鳥エンハンサーを使っていたか．岩波ジュニア新書．岩波書店．

図2 羽毛の進化と羽毛の発生

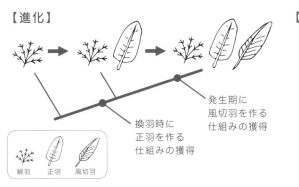

【進化】

換羽時に正羽を作る仕組みの獲得

発生期に風切羽を作る仕組みの獲得

綿羽　正羽　風切羽

【発生】　胚　ヒナ　成鳥

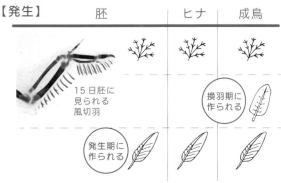

15日胚に見られる風切羽

換羽期に作られる

発生期に作られる

図3 恐竜から鳥類への進化において生じた形質変化の例

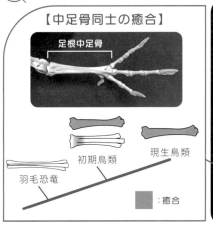

【中足骨同士の癒合】

足根中足骨

羽毛恐竜　初期鳥類　現生鳥類

■：癒合

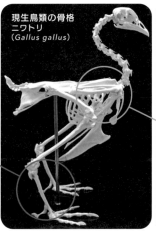

現生鳥類の骨格
ニワトリ
（*Gallus gallus*）

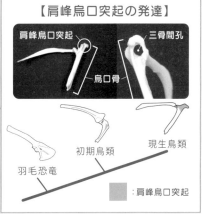

【肩峰烏口突起の発達】

肩峰烏口突起　三骨間孔

烏口骨

羽毛恐竜　初期鳥類　現生鳥類

■：肩峰烏口突起

飾る・守る・温める
〜羽毛恐竜の羽の使い道

文／青塚圭一
イラスト／北川麻衣子

羽毛恐竜にとって，羽や翼は飛ぶことを第一の目的にした器官ではなかった。羽や翼の黎明期，空を飛ぶ以外にさまざまな用途に使っていたようだ。現代の鳥につながる，羽毛恐竜たちの羽や翼の使い道を紹介しよう。

図1
抱卵するシチパチ Citipati（オビラプトロサウルス類）の復元図

羽は飛ぶためのものじゃない!!

この見出しを "筆者の戯言" と思い，読むのをためらった人はちょっと待ってほしい。鳥の羽が飛ぶために使われていることは筆者も知っている。ここでの話は鳥ではなく，そのご先祖である恐竜の羽のことである。

鳥類は獣脚類，いわゆる肉食恐竜のグループ[※1]から進化したといわれている。原始的な獣脚類の羽は毛のような繊維状の構造であり，もともと保温のために発達したと考えられている。それが鳥類に近づくにつれ，ふさふさとした「ダウン（綿羽）」となり，羽軸のある「羽（正羽→p.37）」を経て，やがて飛翔のための「風切羽→p.49」へ進化した──なぜ毛のような構造物が羽へと進化したのか？ 実は羽の進化を探っていくと，羽は飛ぶために発達したものではなかったことがわかってきたのだ。

オシャレな "肉食系" 恐竜

羽への進化の中で，羽軸の形成は大きな革命だったに違いない。羽軸はそれまでバラバラに向いていた "羽毛" を束ね，1枚の "羽" を作り上げたのだ。もし羽が飛ぶために発達したものであれば，それは鳥類にかなり近縁な小型獣脚類で初めて見られる特徴であっただろう。

しかし，コンカヴェナトルやオルニトミムスといった大型で地上性の獣脚類の腕の骨から羽軸のある羽があった痕（翼羽乳頭→p.23）が見つかった。つまり羽は飛翔とは無関係に発達した可能性があったのだ。そのため，羽は求愛などのディスプレイの道具として発達したとの見方が強まっている。きれいに重なりあった羽は扇子のようなまとまりがあり，その色をより美しく見せたことだろう。「今度のデートには何を着

て行こうか？」と私たちが考えるように，恐竜たちもオシャレで恋愛に真面目な，正に "肉食系" だったのだ。

羽に秘められた親の愛

求愛に成功した恐竜のペアは夫婦となり，子どもを作ったことだろう。抱卵は鳥類特有の生態と思われがちだが，恐竜の中でオビラプトロサウルス類には卵を抱えたまま化石になったものも見つかっており，抱卵の生態がすでにあったとされている。巣の中には30個ほどの卵が円形に産みつけられていたが，彼らの腕には羽軸のある羽があり，この羽で多くの卵を抱えていたようなのだ（図1）。

さらに，その羽には「小羽枝」があったとされている。小羽枝とはかぎ状になった羽毛の微細構造である。羽を指でほぐそうと思ってもなかなか崩れないのは，小羽枝同士が絡みあっているからで，これによって羽は飛翔時に風に吹かれてもバラバラにならないほどの強度を保っている（→p.49）。このグループの恐竜の羽は風切羽にはなっておらず，飛ぶことはできなかったが，風や砂などから卵を守ったり，すべての卵を均等に温めるために丈夫な羽が必要だったのだろう。

図3 セリコルニス *Serikornis* の復元図

図2 ミクロラプトル *Microraptor*。
前肢と後肢に風切羽がある（撮影協力：国立科学博物館）

翼があっても飛べない？

こうして羽を発達させた恐竜の中から，飛翔のために羽を用いるものが現れた。風切羽は樹上生活をしていた小型獣脚類の羽が，滑空や木々の飛び移りを経て発達していったものと考えられている。そのことを象徴するのがミクロラプトルだ（図2）。前肢の翼に加えて，後肢にもしっかりとした風切羽が生えており，恐竜から鳥へと進化する間には，四枚翼のものが存在したことを示している。

ところが，セリコルニスという恐竜は4枚の翼をもっているのに，飛ぶことができなかったようだ！（図3）というのも，彼らは風切羽をもたず，小羽枝も見られない。つまりこの羽には飛翔や滑空に耐える強度はなかったと推測できるのだ。さらに，大腿骨よりも脛骨が長いことから地上性であった可能性が高い。足の羽は歩くのに邪魔だし，敵から逃げるのにも不利だったはずなのに，なぜか彼らの足には羽が生えている。その役割はよくわかっていない。もしかしたら，求愛の際には高速で走り，足の羽をなびかせて異性の目を惹きつけたのかもしれない。それで転んでしまったら元も子もないが，それだけ体を張ってでも振り向い

てほしい異性がいたのであれば，筆者も陰ながら応援したいと思うのだ。

3D時代の到来!?

数多くの羽毛恐竜の発見によって，羽がどのように進化してきたのかがわかってきたが，これまでの羽毛の化石は頁岩[※2]などにペシャンコになった姿でしか残っていなかった。しかし，近年では琥珀に閉じ込められた羽毛の化石が相次いで発見されており，その立体的な構造も見えてきた。ついに羽毛化石の世界にも3D時代が到来したのだ。

最も衝撃的だったのは，2016年に報告された恐竜の尾の入った琥珀の発見だろう（図4）。この尾はふさふさした羽毛をはっきり確認でき，CTスキャンによる骨の特徴から，この尾の主はコエルロサウルス類の幼体と考えられている。コエルロサウルス類は原始的な獣脚類であるが，その羽毛には小羽枝が見られる一方，羽軸はほっそりした華奢なものでしかなかった。このため，小羽枝は羽軸よりも先にできていた可能性があり，羽毛の微細構造がどのように進化したのかを解く鍵として注目されている。しかし，前述のセリ

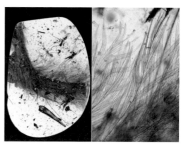

図4 恐竜の尻尾が入った琥珀
（左）琥珀全体（右）羽毛部分の拡大（Photograph by R. C. McKellar, Royal Saskatchewan Museum）

コルニスのように，小羽枝のない羽の例もあり，羽の進化にはまだまだ多くの謎が残っている。

とはいえ，羽は鳥と恐竜をつなぐキーアイテムだ。鳥がもつ羽の飛翔以外の役割に注目すれば，恐竜たちの知られざる生態が見えてくるに違いない。

※1
獣脚類とはその多くが二足歩行の肉食恐竜（ティラノサウルスなど）だが，中には植物食の種類もいた。

※2
粘土が固まってできた岩（泥岩）で，板状で軟らかく，薄く割れやすい。

参考文献
Lefèvre et al. (2017) A new Jurassic theropod from China documents a transitional step in microstructure of feathers. The Science of Nature 104: 74.
Tanaka et al. (2018) Incubation behaviours of oviraptorosaur dinosaurs in relation to body size. Biology Letters 14 (5)
Xing et al. (2016) A feathered dinosaur tail with primitive plumage trapped in Mid-Cretaceous amber. Current Biology 26: 1-9.
Zelenitsky et al. (2012) Feathered non-avian dinosaurs from North America provide insight into wing origins. Science 338: 510-154.

謎解きは鳥見のあとで

〜恐竜学のための鳥類学

文・図／田中康平

恐竜と鳥が近いなら，恐竜だって鳥っぽい暮らしだったのでは──そう思ったあなたは鋭い。実際，現在の恐竜研究では，鳥を知ることがトレンドの1つになっている。その実例を恐竜研究の本場，カナダから紹介してもらおう。

ある恐竜研究者の悩みとひらめき

恐竜の親は巣の中で卵を温めたか──もし読者の皆さんが恐竜研究者だったら，この研究テーマにどう取り組むだろうか。「卵を温める」というのは行動だから，それを化石から明らかにするのはちょっと難しい。親と卵が巣の中で一緒に発見されれば大きな証拠になりそうだが，卵を温めない（抱卵しない）動物だって巣に留まることはあるし，そもそも親と巣の化石が一緒に発見されることは滅多にない。「この研究は不可能だったか」。絶望する研究者の前で，化石は沈黙を貫く……しかしここでひらめく。いったん化石から離れ，現在抱卵をする唯一の動物，すなわち鳥類を調べてみよう，と。抱卵する種としない種では，卵の構造に違いはないだろうか。もし違いが発見できれば，すなわち，現生種から規則性が見いだせれば，その規則性は恐竜の卵化石にも適用できるかもしれない。かくしてあなたの恐竜研究は，鳥類研究の力を借りて進行する──。

鳥の知識は恐竜にどう応用できるか？

恐竜の研究とは発掘された化石を記載・分類し，生態を推測し，進化の流れを考察することである。恐竜は爬虫類の一派から出現し，現在の鳥類に続く動物群であるから，現在の動物の知識は恐竜の生態や行動パターンを推定するためのヒントになる。絶滅した恐竜に近縁なワニ類と鳥類の知識は特に重要である。先に述べたように，現在の動物で，解剖学的特徴と生態や行動パターンに規則性が発見できれば，それは恐竜にも応用できそうだからだ。そのため恐竜研究者は現在の動物を使って規則性を見つけようとする。

例えば，羽毛恐竜の体色の推定にも現在の鳥類の知識が利用されている。鳥の羽毛にある「メラノソーム」という細胞小器官を調べ，化石に残るその痕跡と比べることで，恐竜の羽毛の色が推定できる（→p.56）。小型恐竜のアンキオルニスでは，頭に赤茶色のトサカ状の羽毛をもち，体は灰色や黒の羽毛で覆われ，翼には白と黒の模様があったとされた（**図1**）。恐竜の体色の謎を，文字通り "白黒つけた" 見事な例だ。

鳥から見える，恐竜の真実の姿

さて，話を冒頭のテーマ「恐竜は抱卵したのか」に戻そう。現在のワニ類や鳥類では，抱卵する種としない種で卵殻の構造に違いが

図1 羽毛化石に見られる楕円形のメラノソームの痕跡と推定されたアンキオルニスの体色（メラノソームの色は形状や大きさと相関がある）

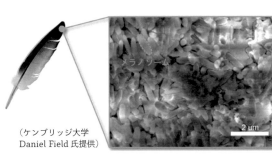

（ケンブリッジ大学 Daniel Field 氏提供）

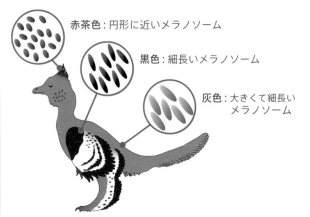

赤茶色：円形に近いメラノソーム

黒色：細長いメラノソーム

灰色：大きくて細長いメラノソーム

あり，抱卵する種の卵殻は緻密で，抱卵しない種の卵殻は多孔質だ（**図2**）。この違いは両者の巣の湿度が異なるために起こる。抱卵する種の巣は開放的で乾燥しているため，卵からの過度の水分蒸発を防ぐように卵殻が緻密になる。一方，抱卵しない種の卵は湿度が高く，酸素に乏しい地中に埋められるため，卵殻は多孔質になる。だから恐竜の場合も，卵殻の多孔度を調べれば巣の種類と抱卵行動の有無がわかるというわけだ。実はこれは私が行った研究の一つである。抱卵行動は鳥類に近い系統の恐竜で見られたようだ。

これらの研究が示すように，現在の動物の知識は恐竜の生態を推定するうえで有用だ。そして推定された恐竜の生態は，恐竜の進化を考える際に重要になる。恐竜のもつ特徴がいかにして獲得され，そして鳥類に至ったか。これは恐竜研究の大きなテーマだ。とりわけ恐竜から鳥類へと進化していく過程の研究は，近年急速に成果を上げている。

その例をもう1つ。私の指導教官だったカルガリー大学のダーラ・ザレニツキー博士は，嗅覚の進化に関心をもっていた。鳥類に近い系統の恐竜には，優れた嗅覚をもつ種もいれば，そうでない種もいた。そして現在の鳥類も，嗅覚の鋭さは種によって当然異なる。一般に鳥類は進化が進むにつれ，徐々に嗅覚が低下したと考えられているが，本当だろうか？ 嗅覚の進化は，低下していくだけの単純な流れだったのだろうか？

博士らは鳥類に近縁な恐竜，原始鳥類，そして現生鳥類の嗅覚の鋭さを調査した。嗅覚の鋭さは「嗅球」と呼ばれる，脳内のにおいをつかさどる領域の相対的な大きさで決まる。つまり，大脳の大きさの割に嗅球が肥大している種は嗅覚が優れている。嗅球や大脳の大きさは，化石であっても頭骨から推定できる。博士らの大規模な調査の結果，実は嗅覚は複雑な進化をたどっていたことが明らかになった（**図3**）。嗅覚の能力は鳥類直前の獣脚類恐竜で増加し，鳥類へ移り変わる際には停滞，そして鳥類に至ってからは増加→停滞→減少という傾向が見られたのだ。ここでもやはり鳥類のデータが問題解決の糸口となった。

こうしてみると，恐竜研究には未解決のテーマが山ほどあるうえに，現在の動物でも案外しっかり調査されていないことがわかる。私は未解決のテーマは「今となっては解明することが不可能なもの」と「実はまだあまり研究されていないだけで，じっくり調査することで解決の糸口が見つかるもの」の2つあると考えている。研究者が狙うのは当然後者だ。

いかにして問題を打破し，恐竜の謎を解明するか。これは恐竜研究で最もエキサイティングな過程の一つだ。そして問題の解決には，現在の動物の知識，とりわけ鳥類の知識が往々にして利用されている。皆さんの双眼鏡の先でさえずる多種多様な鳥たちは，もしかしたら次の恐竜研究のヒントを示しているかもしれない。

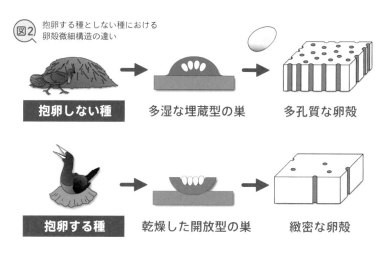

図2 抱卵する種としない種における卵殻微細構造の違い

抱卵しない種 → 多湿な埋蔵型の巣 → 多孔質な卵殻

抱卵する種 → 乾燥した開放型の巣 → 緻密な卵殻

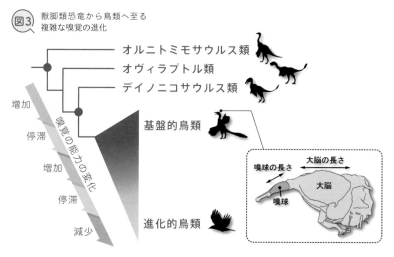

図3 獣脚類恐竜から鳥類へ至る複雑な嗅覚の進化

オルニトミモサウルス類
オヴィラプトル類
デイノニコサウルス類
基盤的鳥類
進化的鳥類

嗅覚の能力の変化

増加
停滞
増加
停滞
減少

嗅球の長さ　大脳の長さ
大脳
嗅球

「翼竜vs.鳥」
～大空を制した翼の構造

文・図／青塚圭一

鳥が空に乗り出す前，そこには先達として翼竜がいた。鳥と翼竜，同じ空の生き物でも，飛ぶためのツールはまったく別物だ。中生代の空の下で，両者は共存したのか，それとも争ったのか？

中生代の空

白亜紀の世界を想像してみてほしい。大地を恐竜が闊歩し，海には首長竜が泳ぎ，そして空には翼竜が舞う——そんなイメージではないだろうか？ では，ここで1つ質問したい。あなたのそのイメージの中に鳥はいただろうか？ 実は，白亜紀の空を制していたのは翼竜ではなく，鳥だったのかもしれないのである。

確かに翼竜の歴史は古く，中生代の初期，三畳紀には既に出現していたことが知られている。しかし白亜紀になるとその多様性は低くなる。それに対して鳥類（鳥群）の出現はジュラ紀の後半で，白亜紀になると多様化することから，鳥類の繁栄が翼竜の衰退を招いたとの説もある。では，鳥類が中生代の大空を支配できたいちばんの理由はなんなのだろうか？ それは飛翔能力の向上が要因の一つとして考えられる。

鳥の翼は最強の飛翔ツール

前肢に大きな翼があることから，翼竜が空を飛ぶスペシャリストであったことは間違いない。しかし，その翼の構造は鳥とは異なり，長く伸びた指の骨の間に皮膚でできた膜を張った，ハンググライダー

のような構造だ（**図1**上）。この翼は「飛膜」と呼ばれるが，おそらく薄く，仮に破けてしまったら飛翔のパフォーマンスは著しく下がってしまい，時には肉食恐竜のごちそうになってしまっていたことだろう。

それに対して，鳥類の翼は羽で構成されており，指の骨も癒合して翼を支えている。そして羽の一部は「風切羽」と呼ばれる非対称な構造で，自然に揚力を生み出しやすい作りになっている。そのうえ，羽が幾重にも重なった作りであるため，羽が数本欠落しても飛行パフォーマンスは維持できる（**図1**下）。つまり，鳥の翼は丈夫であり，かつ生え変わりも可能という優れた構造なのである。

翼の発達が鳥類の発展

こうした羽を重ねた翼は鳥類のご先祖である恐竜ですでに獲得されており，現状，最古の鳥とされるジュラ紀の始祖鳥では既に立派な翼が獲得されていた（**図2**）。しかし，始祖鳥の風切羽の羽軸は現生の鳥に比べて華奢であり，指の骨もまだ癒合せず，3本にしっかり分かれている（**図3**上）。また，飛翔のための筋肉をつける大きな胸骨も見られない。おそらくは，まだテストパイロットの段階

図1 翼竜と鳥類の翼の比較

翼竜の翼
第Ⅳ指（薬指）が長く伸びており，飛膜を張って翼を構成している。

鳥類の翼
指の骨が癒合し，羽が何枚も重なって，丈夫な翼を構成している。

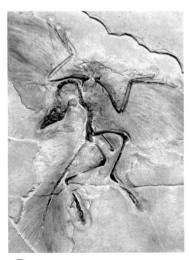

図2 始祖鳥の化石

であったと考えるのが妥当であろう。始祖鳥の化石の発見がドイツのゾルンホーフェンという地域に限定的なのも、飛翔能力の未発達さを示しているのかもしれない。

しかし、白亜紀に入ると鳥類は徐々に多様化しはじめ、その分布域を拡大していった。「エナンティオルニス類」と呼ばれる鳥類は白亜紀の鳥類のおよそ半数を占めるとされるほど多様化し、その化石は北米、南米、アジア、ヨーロッパ、さらにはオーストラリアからも発見されている。彼らがこれほど広い地域に進出できた理由には、飛翔能力の向上があったに違いない。例えば、エナンティオルニス類の指の骨は部分的に癒合し、さらに小翼節骨という機能的に重要な骨が見られた。実は鳥類の翼には揚力をコントロールする「小翼羽」と呼ばれる羽があり、

これが飛行機のフラップのような働きをすることで、飛翔・着陸を円滑に行っている（→p.49）。この小翼羽を操作する骨が小翼節骨だ。エナンティオルニス類がこの骨をもつということは、かなり高度な飛翔能力を身につけていたと考えられる（図3下）。実際、このグループに含まれるマーティンアヴィスという鳥は北米、南米、そしてヨーロッパから化石が発見されていることから、渡りをしていた可能性も示唆されている。さらにイクチオルニスなどのより派生的なグループになると、骨格の構造は現在の鳥類により近くなる。翼を構成する骨は癒合し、胸骨にも飛翔筋をつける立派な竜骨突起が見られるようになる(図4)。ここまでくると高い飛翔能力を獲得していたことは間違いない。

翼竜とのご近所付き合い

鳥類が飛翔能力を向上させたとて、鳥類が翼竜を攻撃して衰退させた訳ではない。おそらくは同じ食物資源を巡る競争によるのであろう。実際、白亜紀以前の翼竜には小型種が多かったが、鳥類が繁栄するにつれて、大型種が主となってくる。つまり、鳥類と体サイズが似た小さな翼竜ほど、鳥類との競争の影響を受けやすかった可能性は考えられる。しかし、翼竜と鳥類の骨格の構造には違いが多く見られることから、生態的な差異も大きかったとする研究結果もある。鳥類との競争が起こったのは一部の翼竜であり、多くの翼竜と鳥類はすみ分けて共存していたとする見方もあるのだ。真実はタイムマシンがないと解明できないのが古生物学の難しさであるが、鳥類の高度な飛翔能力と目まぐるしい放散力が、鳥類が大空を制した一因であることは間違いないだろう。

参考文献
青塚 (2018) 中生代の鳥類における骨格及び生態の進化. 日本鳥学会誌 67, 41–55
Chan (2017) Morphospaces of functionally analogous traits show ecological separation between birds and pterosaurs. Proceedings B. 248.

図3 始祖鳥とエナンティオルニス類の翼の比較

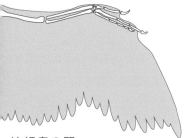

始祖鳥の翼
それぞれの指の骨が独立している。また"手"に羽が生えたような構造をしている。

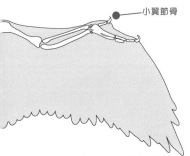

小翼節骨

エナンティオルニス類の翼
部分的に指の骨の癒合が見られる。小翼節骨もあり、飛翔時の揚力のコントロールもできたと推定される。

図4 イクチオルニスの骨格図（出典／Wikipedia）

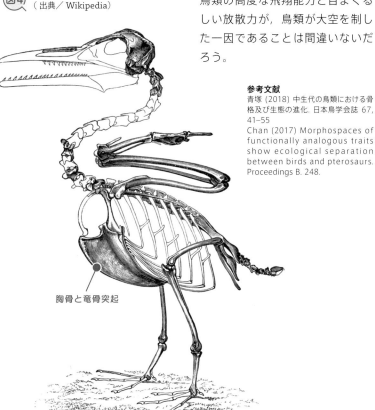

胸骨と竜骨突起

内と外，スズメとティラノサウルスの共通点
～2度の大絶滅の遺産

鳥が恐竜から進化した，あるいは鳥は恐竜そのものならば，両者に共通点が多いのは当たり前だろう。これらの中には，地球史上最悪ともいえる絶滅事件を乗り越えた証もあるという。

大絶滅が生んだ鳥と恐竜の呼吸システム

スズメといえば，日本だけでなく，ヨーロッパやアジアでも身近な鳥の一つだ。窓の外を見たとき，ふと見かけるこの小さな生き物は，意外なことに恐竜と深いかかわりをもっている。スズメと恐竜——いったいどんな共通点があるのだろうか（**図1**）。

まず1つ目の大きな特徴は，「羽毛」である。飛行，保温，ディスプレイなど，さまざまな用途に用いられるこの画期的な構造は，多くの恐竜でその存在が確認されている。現在，多くの恐竜図鑑ではいろいろな恐竜が羽毛をもった姿で描かれている。昔の恐竜図鑑を見慣れている人にとって，これは少し違和感を覚えるかもしれない。実はこれらの「羽毛のある恐竜の姿」が復元図に描かれるようになったのは，ここ20年ほどの話である。

世界で最初の羽毛をもった恐竜の化石は，1996年に中国の遼寧省の熱河層群で見つかった「中華竜鳥」シノサウロプテリクスである。これ以後，中国をはじめとする世界中の中生代の地層で，羽毛をもった恐竜化石が発見された。ティラノサウルスの仲間でも，羽毛の原型である原始的なプロトフェザーをもつ中型のユーティラヌス（**図2**）や，小型のディロン

グ（**図3**）などが知られている。今のところティラノサウルスから羽毛の痕跡は見つかっていないが，もしかすると孵化したての幼体は，鳥のヒナと同じやわらかい羽毛に包まれていたかもしれない。

2つ目の特徴は「気嚢構造」である。鳥や恐竜の仲間は，横隔膜をもたず，肺のほかに気嚢と呼ばれる袋状の器官をもつ。気嚢は空気をためて，ふいごのように肺に空気を流す役割を果たし，効率的なガス交換を実現している。スズメ目の鳥の場合，気嚢は7つあり，ティラノサウルスを含む大型の恐竜の仲間でもこの器官が知られている。

なぜこの画期的な呼吸システムが，鳥と恐竜の仲間には備わっているのだろうか？ それは地球史上最大の大絶滅とかかわりがあると

考えられている。"大絶滅"というと，恐竜の絶滅を含む白亜紀末期（6600万年前）が有名だが，規模の点ではペルム紀末期（2億5000万年前）の絶滅イベントのほうが大きい。海洋生物の81％，陸生脊椎動物の70％が姿を消したといわれるこの大絶滅では，世界的な低酸素状態が長期にわたって続いた[※1]。鳥と恐竜の共通祖先はこの時代に気嚢を獲得し，また哺乳類の祖先となった単弓類のあるグループも，横隔膜を獲得することで，効率的な呼吸システムを実現した。恐竜と鳥に共通するこのガス交換のメカニズムは，恐竜の祖先が古生代最後の絶滅を生き延び，中生代の繁栄を築く礎となった原因の一つともいえる。

図1 ティラノサウルスとスズメには，意外な共通点がある

暮らしぶりも似ている

　この2つ以外にも，鳥と恐竜には多くの解剖学的な共通点がある——叉骨があること，回転する手の関節，歩行の際に体の真下で足（後肢）を動かすこと，複合仙骨や尾端骨，肋骨のかぎ状突起などである。叉骨は鳥が獣脚類から進化したことを裏付ける証拠の一つにもなっている特徴で，回転する手首の関節は，鳥が翼をうまく折りたたむために重要な構造である。

　ほかに生態的・生理学的な特徴としては，卵を産み育てるところ，成長速度が速いことも共通点だ。恐竜の卵についての研究は近年目覚ましい発展を遂げ，現代の鳥類と同じように，さまざまな営巣行動があったことが知られている。多くの鳥類と同じように抱卵する恐竜や，ツカツクリ[※2]のように抱卵せず，卵を地面に埋めたと考えられる恐竜もいる。

　ティラノサウルスとスズメは体の大きさも，生きている時代も環境も異なるが，その体の仕組みは意外な共通点にあふれている。スズメを見るとき，その小さな体に詰まった地球の歴史と生物の進化の不思議に，改めて注目してほしい。

※1
ペルム紀は古生代の最後の区分で，その次が中生代の三畳紀にあたる。火山活動などをきっかけに起きたこの絶滅では，当時陸上で栄えていたの爬虫類や単弓類（後の哺乳類に連なる生物群）のほぼすべてが絶滅。海洋では三葉虫も姿を消した。

※2
オーストラリアなどに生息するキジの仲間の鳥。親鳥は落ち葉や土などを積み上げて高さ1mほどの塚を作り，その中に卵を産む。卵は発酵熱などで孵化する。

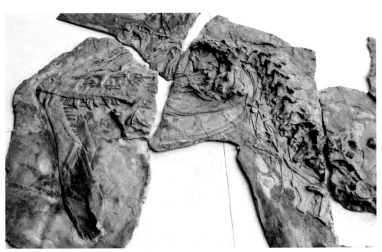

図2 中型のティラノサウルスの仲間，ユーティラヌス・フアリ（*Yutyrannus huali*）。比較的大型の種だが，原始的な羽毛構造をもっていたことが知られている

ヤブツカツクリ（photo AC）

図3 小型のティラノサウルスの仲間，ディロング・パラドクサス（*Dilong paradoxus*）。こちらも原始的な羽毛構造があった

そして恐竜は滅び，鳥は生き残った

～恐竜と鳥の運命の分かれ目

文・写真・図／後藤和久

恐竜絶滅は地球の歴史の中でも人々の関心が高い出来事である。現在のところ，小惑星の衝突がその原因の有力説だが，では，当時の鳥類がどうやって苛烈な環境を生き延びたのか，その答えはまだ出ていない。

恐竜＝「鳥型」＋「非鳥型」

鳥は私たちにとって身近な動物だ。近くの公園でも小鳥のさえずりが聞こえ，安らぎを与えてくれる。そんな鳥たちは，ティラノサウルスなどのいわゆる "絶滅した恐竜" と系統学的に近く，同一の祖先から進化したと考えられている。そのため，恐竜類を議論する場合は，現在の鳥類のルーツとなる「鳥類型」と，それ以外の「非鳥類型」に分類するのが一般的だ。これから述べる白亜紀末に絶滅した "恐竜" とは，非鳥類型を指している。

恐竜類は，三畳紀末ごろからジュラ紀，白亜紀にかけて生息していた（2億3000万年前～6600万年前）。この時代は現在よりも温暖な環境であり，この間に一部の恐竜は大型化，まさに地球上の支配者として大繁栄を極めていた。鳥類型恐竜の起源は，少なくとも始祖鳥が存在していたであろう1億4000万年ほど前までさかのぼることができるようだ。そして，白亜紀後期までには，現生種と同じグループに分類される鳥類が誕生している。

6600万年前に起きたこと

今から約6600万年前の白亜紀末，地球上の生物に大きな転機が訪れた。現在のメキシコ・ユカタン半島北端に，直径約10kmの巨大小惑星が衝突したのだ。この規模の天体衝突になると，地球規模の環境激変をもたらす。衝突地点には，直径約180kmもの巨大クレーターが形成され，数値計算の結果によれば，衝突地点周辺では1万℃もの高温状態となった。灼熱環境は衝突地点に限らない。衝突によって飛び散った岩石の一部は大気圏外に一度放出されるが，地球の重力に引きつけられて大気圏に再突入する。その際に大気が過熱され，地球上のあらゆる場所が高温となった。衝突から数時間もの間，地表面の温度は最大260℃に達したといわれる。それ以外にも衝突地点周辺は衝撃波や巨大津波に見舞われ，このときに堆積した衝突放出物などは，白亜紀／古第三紀境界層として世界中で報告されている。筆者はこうした地層の調査を世界各国で行ってきた（**図1，2**）。

衝突の影響は，中長期的にも継続した。衝突で放出されたちりやエアロゾル※は大気中に長期間留まり，太陽光を遮断してしまう。そのため，衝突直後の灼熱環境から一変して，長期間にわたって寒

図1 メキシコで発見された白亜紀／古第三紀境界層。衝突放出物などが巨大津波によって撹拌（かくはん）されて堆積したと考えられる

図2 天体衝突の痕跡調査に向かう調査隊。ニュージーランドにて

72

冷期が訪れることになる。また、地表は暗闇に包まれたため、光合成を行う植物や海洋プランクトンなどの生物には致命的な影響が出た。実際に、衝突の影響が比較的小さかったと考えられる衝突地点の裏側でさえ、衝突直後からしばらくの間、光合成生物が存在しない期間があったことが報告されている。

こうして、白亜紀末には海生生物の種レベルで70～80％が絶滅した。この絶滅は地球史上2番目の規模である。中でも非鳥類型恐竜類や翼竜類は、白亜紀末に完全に姿を消している（**図3**）。絶滅とは、ある種の個体数がゼロになることを意味しており、数個体でも生存できれば絶滅したことにはならない。これだけの種が地球史の時間スケールで「一瞬にして」姿を消すというのは、まさしく異常なことである。

絶滅の原因は、衝突そのものに限らず、衝突後のさまざまな環境変動が合わさったものと考えられる。中でも、太陽光の遮断は深刻だったはずだ。植物などの光合成生物は食物連鎖の基盤であり、彼らが死滅すれば食物連鎖は崩壊する。草食動物がまず死滅し、やがて肉食動物の死滅へとつながるのだ。こうなると、多くの食料を必要とする恐竜などの大型動物ほど生存には不利だ。こうして、衝突から長期間続く環境激変の中で、非鳥類型恐竜たちは絶滅していったと考えられる。

大量絶滅を逃れた生物 ——そして鳥は？

一方、この環境激変を生き延びた生物がいた点にも注目すべきだ。その代表例はカメやワニといった湖や河川のような淡水環境に多く生息する生物である（**図4**）。また、生物の死骸や枯れ葉といった腐食物を食べる「腐食連鎖」に属する昆虫や当時のネズミのような哺乳類といった生物の絶滅率も全般的に低いことが知られている。つまり、衝突直後の灼熱環境や、その後の光合成生物の活動停止の中でも生存できる環境下にいる、またはその能力があった生物が選択的に生き残ったと推測される。

では、鳥類（鳥類型恐竜）はどうだったのだろうか。実は、鳥類も科のレベルで75％が絶滅し、非鳥類型恐竜類に次いで突出して絶滅率が高い。鳥たちは非鳥類型恐竜が絶滅する様子を空から悠々と眺めていたわけではなく、彼らも例外なく絶滅の縁に立たされ、かろうじて一部の種が生存できた、と考えたほうがよいだろう。それでも「一部の種が生き残る」ということは極めて重要である。なぜならその後爆発的に進化し、繁栄できる可能性が残されるからだ。系統学的にも、鳥類の多様性が増したのは白亜紀末の天体衝突以降だったことが確かめられている。

なぜ一部の種でも鳥類は絶滅を免れたのか？ その理由は十分な科学的説明がなされておらず、今後の研究課題の一つである。翼竜類も絶滅しているので、空を飛べたことが理由ではなさそうである。あるいは食料が不足する中で、効率的に食物を得られたのかもしれない。特に、腐食連鎖に属する昆虫などを食べていたのであれば、環境が悪化する中でも生き延びることができた可能性がある。いずれにせよ、非鳥類型恐竜や翼竜類にはなかった、白亜紀末の環境激変を生き延びるために必要な何らかの能力を、鳥類はすでにもっていたのだろう。

これまでは、鳥類と非鳥類型恐竜の類似性が大きな関心を集めてきた。今後は彼らの運命を分けた違いを明らかにすることが、重要な研究対象になるだろう。そう思って鳥を見ると、彼らの祖先が白亜紀末の環境激変を生き延びた理由がわかるのかもしれない。

※
気体の中に浮遊している微少な液体、または固体の粒子

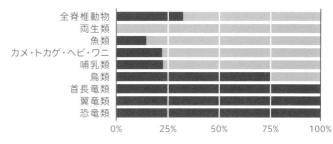

図3 白亜紀末における脊椎動物の科のレベルでの絶滅率
高橋・後藤（2010）に基づき作成（紫色が絶滅）

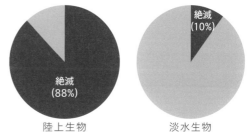

図4 陸上、および淡水環境にいた生物の種レベルでの絶滅率の差（Sheehan and Fastovsky, 1992に基づき作成）

陸上生物　　　　　淡水生物

鳥の中に残る恐竜の名残

～外見だけでもわかる，両者のつながり

イラスト・文・写真／川口 敏

例えばスズメを一見して，「これは現代の恐竜だよ」といえる人は，かなりの想像力の持ち主だ。しかし，見どころをおさえれば，鳥の外見だけでも，恐竜っぽさを感じることはできるという。

直立二足歩行

　「鳥は恐竜である」

　そういわれても，恐竜と鳥類では見た目が全然違う。鳥のどこか恐竜なのかと恐竜学者に尋ねると，彼らはたいてい骨の話を始める。寛骨臼に穴が開いているとか，距骨に上向きの突起があるとか——いろいろ教えてくれるが，チンプンカンプンである。

　普通，恐竜学者は化石として残った骨しか見ていない。だから，素人に説明するときも，つい骨の話をしてしまう。でも，素人は解剖学の知識なんかないので，理解できるわけがない。ぼくも最初はそうだった。なので，ここでは骨の話はしない。骨を持ち出さなくても，恐竜と同じ特徴はたくさんあるから大丈夫だ。

　鳥が恐竜らしく見えないのは，長い羽が生えているからで，羽を取ってしまえば，恐竜の面影が現れる。特にタカやハヤブサといった猛禽類は，ヴェロキラプトルやステノニコサウルスなどの小型肉食恐竜（俗に「ラプトル」と呼ばれる）にそっくりだ。ゆえに，鳥の祖先はラプトルだと考えられている。両者の共通点を並べると，

・頭でっかち
・胴体は柔軟性がなく腰が曲がらない
・手首（前肢）が横に曲がる
・足（後肢）が長い
・足の指（趾）は4本で，内側から3番目の趾（第Ⅲ趾）がいちばん長い

そしてここが最も肝心な点だが，**直立二足歩行で，趾行性である。**

　直立二足歩行というのは，2本の足が胴体からまっすぐ下に伸びて，胴体を宙に浮かしたまま歩行することだ。この歩行様式は珍しく，鳥と恐竜を除けば，ヒトとカンガルーぐらいしか見当たらない。ちなみに「**直立歩行する爬虫類**」というのが，最もシンプルな恐竜の定義になっている。

　また趾行性とは，かかとを地面から上げ，つま先立ちで歩くことで，肉食恐竜と鳥はすべて趾行性だ。一見，鳥はかかとを地面につけて歩いているように見えるが，これは一種の錯覚である。鳥の足は異様に長細く，かかとの部分が

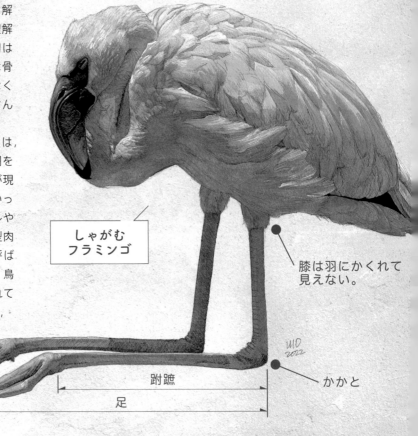

しゃがむ
フラミンゴ

膝は羽にかくれて
見えない。

跗蹠

足

かかと

山口
2022

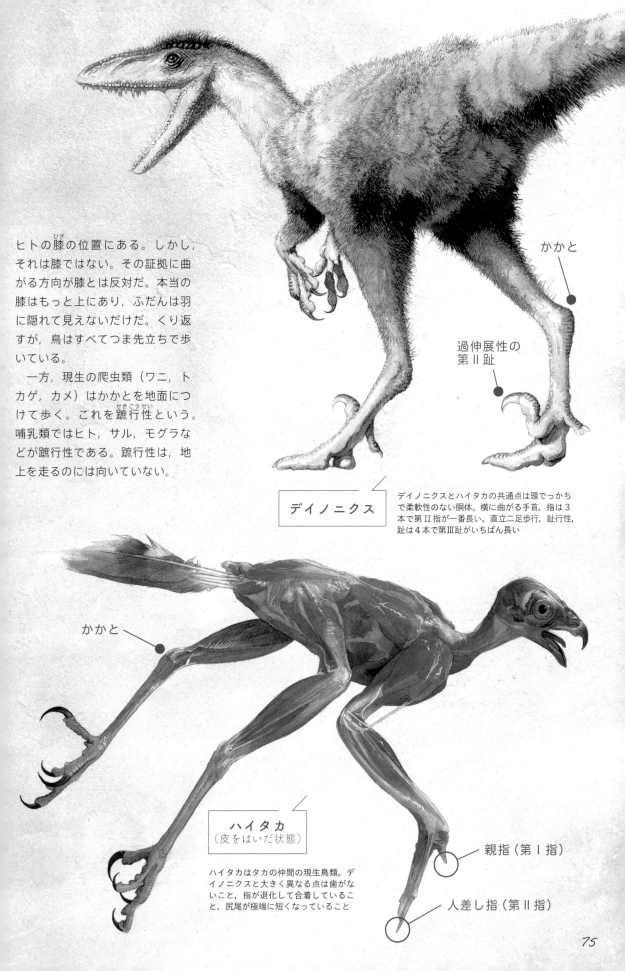

ヒトの膝（ひざ）の位置にある。しかし，それは膝ではない。その証拠に曲がる方向が膝とは反対だ。本当の膝はもっと上にあり，ふだんは羽に隠れて見えないだけだ。くり返すが，鳥はすべてつま先立ちで歩いている。

一方，現生の爬虫類（ワニ，トカゲ，カメ）はかかとを地面につけて歩く。これを蹠行性（せきこうせい）という。哺乳類ではヒト，サル，モグラなどが蹠行性である。蹠行性は，地上を走るのには向いていない。

かかと

過伸展性の
第II趾

デイノニクス

デイノニクスとハイタカの共通点は頭でっかちで柔軟性のない胴体。横に曲がる手首，指は3本で第II指が一番長い。直立二足歩行，趾行性，趾は4本で第III趾がいちばん長い

かかと

ハイタカ
（皮をはいだ状態）

ハイタカはタカの仲間の現生鳥類。デイノニクスと大きく異なる点は歯がないこと，指が退化して合着していること，尻尾が極端に短くなっていること

親指（第I指）

人差し指（第II指）

75

鳥の趾(あしゆび)

　鳥の大半は樹上性で，枝をつかめるようにいちばん内側の趾（第I趾）が後ろ向きで，ほかの3本の趾と向かい合うようになっている。これを拇指（母指）対向性という。拇指対向性ということは，樹上生活者であるか，その祖先が樹上生活者であったことを示す。ヒトは地上性にもかかわらず手の指が拇指対向性になっているのは，ヒトの祖先が樹上性のサルだったからである。

　一方，地上性のニワトリやキジは，3本の趾で体重を支える。第I趾は退化的で小さく，地面につかない。このようなタイプの足を三趾足（tridactyl foot）という。肉食恐竜のほとんどが地上性で，この三趾足である。

　地上性の動物は趾の数が減少する傾向があり，エミューで3本，ダチョウで2本，ウマは1本になっている。肉食恐竜ではヴェロキラプトルやステノニコサウルスの2本半が最少で，このような足を半二趾足（semididactyl foot）という。

キジの足

第I趾は地面に届かず，3本の趾だけで体重を支える。このような足を恐竜学では三趾足（tridactyl foot）という。鳥類学にも「三趾足」という用語があるが，それはエミューのように第I趾がなく趾が3本だけのものをいう

IV

I

III

II

かぎ爪

　かぎ爪といえば，肉食動物のトレードマークだ。確かにタカやフクロウなどの猛禽類は，かぎ爪で獲物をしとめるし，映画の中のヴェロキラプトルも，後肢の巨大なかぎ爪を獲物に突きたてる。しかしながら，かぎ爪は肉食動物だけのものではない。植物食のインコ，スズメ，リスだってかぎ爪をもつ。また，雑食のオルニトミムスやオヴィラプトルにもかぎ爪がある。というわけで，かぎ爪は食性とは直接関係がない。

　では，かぎ爪はどんな意味をもつのか——現生の動物を見るかぎり，それは木に登る動物の特徴といえる。例えばイヌとネコを比べるとよい。ネコは木に登るが，イヌは登れない。何が違うかというと，ネコは先のとがったかぎ爪をもつが，イヌの爪は摩耗し，かぎ状にはなっていない。

　かぎ爪は地上を歩行するときは邪魔になる。だから，カラスやトビといった樹上性の鳥は，地上を歩くのが苦手だ。ではネコはどうしたかというと，邪魔にならないよう，かぎ爪を上に引き上げた（過伸展）。これと同じようなことをする恐竜がヴェロキラプトル，ステノニコサウルス，そしてシソチョウ（始祖鳥）などである。彼らの第II趾には大きなかぎ爪がついているが，それを上に引き上げることができる。つまり彼らは，ネコのように地上を疾走することができたし，木に登ることもできたと考えられる。

スズメの足

B186

I
親趾（第I趾）がほかの趾と向かい合う拇指対向性で，先のとがったかぎ爪をもつ。いずれも樹上性動物の特徴

II

III

手羽先

　次は手（前肢）を観察しよう。肉食恐竜の多くは手の指が3本で、真ん中の指（人差し指）がいちばん長い。鳥もそうなのだが、羽が邪魔で観察できない。それに鳥の指は退化・変形・癒着していてわかりづらい。最も原形を留めているのは、ダチョウの手羽先であろう。指はちゃんと3本あるし、親指と人差し指には爪まで残っている。またニワトリも親指だけはちゃんと残っていて、先端には爪もある。次回スーパーに行ったらニワトリの手羽先を観察してみよう。

　鳥の手首（翼角）は風変わりで、翼をたたむために横に曲がる。そしてオヴィラプトルやヴェロキラプトルの手も横に曲がる。このような手首をもつ恐竜を「マニラプトル類」という。当然、鳥類もマニラプトルの仲間である。

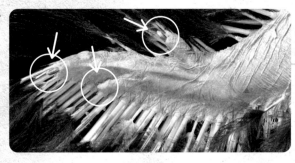
ダチョウの手羽先。3本の指（矢印）が見える

羽とうろこ

　鳥は恐竜である。恐竜は爬虫類である。ゆえに鳥は爬虫類である。その証拠に、鳥は全身うろこで覆われている——といっても、納得できないであろうから、順を追って説明しよう。

　まず、鳥の足はうろこで覆われている。これに異論はないだろう。また、嘴もうろこに覆われている。嘴鞘※はいくつかのうろこが癒着してできたものだ。なお、アホウドリ、カワウ、ダチョウなどの嘴はうろこが完全には癒着しておらず、うろこの痕跡が観察できる。

　問題は羽である。実は羽は、うろこが変形したものだと考えられている。その証拠に羽のあるところにうろこはなく、うろこのある

ところに羽はない。羽はうろこのように規則的に並び、うろこ模様をつくる。羽はうろこが脱皮するように定期的に生えかわる（換羽と脱皮は同義）。羽はうろこと同じく角質でできており、損傷しても治癒することはない。要するに、羽はうろこなので、鳥の体はヘビやトカゲと同じように、全身うろこで覆われているといえる。

　「鳥の羽」といわれていちばんに思い浮かぶのは、木の葉のような形をした「正羽（→p.37）」であろう。正羽は羽軸と羽弁からなる。羽弁は羽枝と小羽枝からなる。羽枝は羽軸から枝分かれしたもので、小羽枝は羽枝から枝分かれしたものである（→p.49）。このような複雑なものが何度も別々に進化するとは考えにくい。ゆえに、正羽があるということは、鳥と同じ仲間であると考えてよい。恐竜のガウディプテリクス、ミクロラ

プトル、アンキオルニスには正羽が見られるので、彼らは鳥の仲間ともいえる。

　このように鳥と恐竜の共通点は多く、両者をハッキリ分けることができない。しかし、分類学者はその性格上、分類せずにはいられないようで、何が何でも分けようとして混乱を招いている。その象徴がシソチョウ（始祖鳥）であろう。鳥類学者はシソチョウを鳥類と見なし、恐竜学者は恐竜（非鳥類型恐竜）と見なしている。また、ミクロラプトルやアンキオルニスも外見は鳥のようだが、恐竜だという見解が多い。どこから鳥でどこから恐竜とするかは、分類学者によって異なる。

※
鳥の嘴は上下のあごの骨が突出し、それを角質の薄いコーティングがおおう構造をしており、このコーティングを嘴鞘と呼ぶ

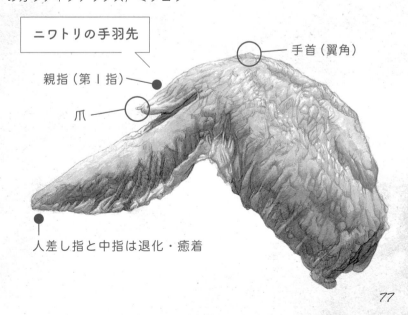
ニワトリの手羽先

手首（翼角）

親指（第Ⅰ指）

爪

人差し指と中指は退化・癒着

恐鳥は本当に "恐ろしい鳥" だったのか？

～ガストルニスは何を食べていた？

文・図／青塚圭一

「恐鳥」——その字面からは肉食の獰猛な鳥を連想するかもしれない。しかし「恐竜」にも植食の種類がいたように，この恐鳥もさまざまな生態をもった，魅力的な鳥たちだったはずだ。

恐竜後の地上の支配者？

　恐鳥という鳥を知っているだろうか？恐竜が絶滅した後，新生代に地上を闊歩した大型の飛ばない鳥，それが「恐鳥類」だ。恐鳥類とはこの時代の大型の地上性鳥類を総称した名前であり，正式な分類名ではない。地上性鳥類の大型化はノガンモドキ科やカモ目に近縁なグループなどで起こり，一時期は恐鳥類が地上を支配していた！残念ながら，その後の哺乳類との競争に敗れたと考えられており，今ではその姿を見ることはできない。しかし，彼らは本当に"恐ろしい鳥"だったのだろうか？

南米のハードパンチャーたち

　では，恐鳥類とはどれほど恐ろしい鳥だったのだろうか？代表的な恐鳥類であるフォルスラコス類は暁新世から更新世[1]に生息した，体高2mほどもある大型の肉食鳥類だ。骨格構造はダチョウよりがっしりしており，嘴は猛禽類のように鋭くとがり，頸の骨の特徴から頭と頸でパンチのような動作ができたと考えられているものも中にはいる。特に南米で繁栄し，フォルスラコス，ケレンケン，ア

ンダルガロニス，パラフィソルニスなど多様な種類が知られ，この時代のトップクラスの捕食動物であったと考えられている（**図1**）。正に恐鳥という名前がピッタリで，ボクシング界にいたら「南米のハードパンチャー」と呼ばれていたことだろう。

謎多きガストルニス

　暁新世から始新世[1]に繁栄したガストルニスも有名な恐鳥類だ。かつてはディアトリマとも呼ばれた体高2mほどの大型の陸鳥であり，ヨーロッパ，北米，アジアから化石は見つかっている。その体

格から19世紀の発見当初はティラノサウルスのミニチュア版と考えられ，図鑑などでも小型の哺乳類を襲う凶暴な姿で描かれてきた。

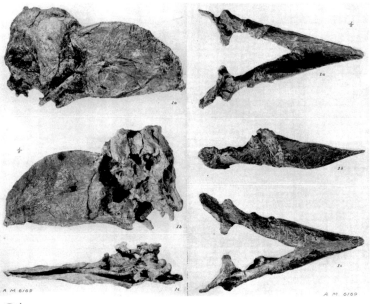

図2　ガストルニスの嘴
（出典／ Wikipedia）

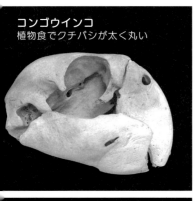

コンゴウインコ
植物食でクチバシが太く丸い

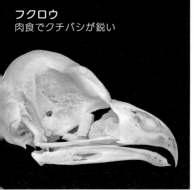

フクロウ
肉食でクチバシが鋭い

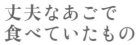
食性による嘴の違い（上：ヒワコンゴウインコ，下：フクロウ）所蔵／東京大学総合研究博物館

しかし，彼らの嘴を見るとフォルスラコス類のように鋭くない（図2）。むしろ植物を食べるクイナ科やインコに似ていることから，植物食であったとする見方が挙がってきた（図3）。歯は絶滅した生物の食性を探るうえで重要だが，歯のない鳥類の生態を探ることは時に古生物学者の頭を悩ませる。そこで嘴の構造を力学的に解析した研究が行われた。その結果，彼らのあごは骨を噛み砕くほどの強度があったことが明らかになり，死肉を漁るような鳥，つまりはスカベンジャーであったと考えられるようになったのだ。

科学捜査班の登場

ガストルニスの生態はスカベンジャーで一件落着，と思われた。

だが，冷静に考えてみると，植物食の鳥にも固い木の実を食べるものがいるし，くるみ割り人形も口でくるみを割っている。あごが頑丈だからといって，スカベンジャーとするのは尚早ではないだろうか？——この謎を解くべく，2014年には骨の形態だけではわからない化学的アプローチが行われた。それは炭素同位体を用いた解析方法である。

食物となる肉や魚，そして植物には炭素（C）が含まれているが，炭素には「^{12}C」と「^{13}C」という2つの安定同位体[2]が存在する。この2つの同位体の比率はそれぞれの食物によって異なるのだが，動物の骨に含まれる同位体比も摂取したものによって変化することが知られている。そこでガストルニスの骨組成中の炭素同位体比を解析し，現生の鳥類のものと比較したところ，肉食の鳥のものより，植物食の鳥に近い値を示したのだ。まるで映画の科学捜査班のような研究であるが，これによりガストルニスが植物食であった可能性が一気に高まったのである。

丈夫なあごで
食べていたもの

では，先の研究で示されたような丈夫なあごは，何に使っていたのだろうか？そこでガストルニスのあごの骨を詳しく観察してみると，下あごを動かす筋肉が付着する部分が大きく発達していたことがわかった。これは現在の種子食性の鳥類と共通する特徴である。一方，肉食の鳥類は上あごで肉を切り裂き，丸のみするため，この筋肉をつける部分はそれほど発達していない。これらのことを総合的に考えると，ガストルニスは植

図4　ガストルニスの復元図

物を食べる鳥で，特に種子などの固いものを食べていたと考えられるのだ（図4）。

我々が恐鳥類と呼んでいるものの中には肉食のもの，植物食のものとさまざまな生態をもつ種がいたに違いない。古生物学は常に骨との対話をする学問であるが，新しい研究手法が生まれれば，それまでの学説がガラリと変わってしまうのも古生物のおもしろさである。長年議論が続いてきたガストルニスの生態研究はそんな古生物学の醍醐味が詰まっているのかもしれない。

※1
恐竜絶滅後の新生代の地質区分。詳しくは p.81

※2
同じ元素でも化学的な性質は同じで重さの異なるもの。原子核を構成する陽子の数は同じで，中性子の数が異なる。安定同位体は半永久的に存在し，放射線を出さない特徴がある。

参考文献
Witmer and Rose (1991) Biomechanics of the jaw apparatus of the gigantic Eocene bird Diatryma: implications for diet and mode of life. Paleobiology 17, 95–120.
Angst et al. (2014) Isotopic and anatomical evidence of an herbivorous diet in the Early Tertiary giant bird Gastornis. Implications for the structure of Paleocene terrestrial ecosystems. Naturwissemschaften 101, 313–322.

新生代の "恐竜" 絶滅巨鳥図鑑

イラスト・文・写真／川口 敏

恐竜絶滅後は哺乳類の時代が到来——一般にはそういわれるが実際は違う。大量絶滅を乗り切った新たな「恐竜」が地上を支配した時代が確かにあった。今では見られない，新生代の巨鳥を紹介しよう。

プシロプテルス（*Psilopterus*）の頭骨化石（アメリカ自然史博物館所蔵）。小型のフォルスラコス類で，比較的翼が大きく飛翔できた可能性がある

フォルスラコス
Phorusrhacos
意味：皺がある

獣脚類・ノガンモドキ目
新生代中新世・肉食性・体高 1.5 m
化石の産出地：南米，北米

　古くから知られる絶滅鳥で，コナン・ドイル著『ロストワールド』にも登場する。体形はノガンモドキに似て，足が速かったと考えられる。頭部が大きく，嘴は幅が狭く，先端はかぎ状になっていた。翼は小さく飛べなかった。フォルスラコス類は恐鳥類（Terror birds）とも呼ばれ，14属18種が知られている。このうち，ティタヌスは体高3m以上で，ケレンケンの頭骨は鳥類最大だった（頭骨長71cm）。

ガストルニス
Gastornis
意味：古生物学者ガストンの鳥

獣脚類・キジカモ類
新生代暁新世〜始新世・雑食性？・体高2m
化石の産出地：北米，ヨーロッパ，アジア

体形は『風の谷のナウシカ』に登場するトリウマに似て，頭部が大きく，幅の狭い巨大な嘴をもつ。当初，肉食と考えられたが，嘴にかぎ状のフックがないため疑問視されている（→ p.78）。前肢は退化し，飛べなかった。北米のガストルニスはディアトリマ Diatryma（「穴を通して」の意）とも呼ばれている。飛べないガストルニスが北米とヨーロッパにいたことから，かつて両大陸は地続きだったと考えられる。

【新生代の地質年代表】

現代	完新世（かんしんせい）	第四紀	
1.8万年前	更新世（こうしんせい）		
260万年前	鮮新世	新第三紀	新生代
530万年前	中新世（ちゅうしんせい）		
2300万年前	漸新世（ぜんしんせい）	古第三紀	
3300万年前	始新世（ししんせい）		
5600万年前	暁新世（ぎょうしんせい）		
6600万年前	白亜紀	中生代	

※本稿では恐竜絶滅以後，新生代の鳥類を紹介する。新生代は現代を含む地質年代で，下図のような区分けがされている。

MO
2022

ジャイアント・モアの全身骨格
（ロンドン自然史博物館所蔵）

ジャイアント・モア
Dinornis maximus
意味：巨大な恐ろしい鳥

獣脚類・古顎類
新生代第四紀・植物食・体高 3.5 m
生息地：ニュージーランド

最も背の高い鳥として知られる。体形は現生のエミューに似て，頸が長く頭は小さい。前肢と尾端骨がないので，翼と尾羽はなかったと考えられる。三前趾足[※]で第Ⅰ趾は退化している。モア類は25種以上知られているが，分類は混乱しており，研究者の間で一致した見解が得られていない。ニュージーランドの先住民の狩猟活動ですべて絶滅したと考えられ，沼地や洞窟などから遺骸が何百体も発掘されている。

※
第Ⅰ趾が後ろ向きで，第Ⅱ〜Ⅳ趾が前向きの足。鳥の中では最も多い足の形状。

左からエピオルニスの卵，跗蹠骨（ふしょ）・大腿骨（オックスフォード大学自然史博物館所蔵）。エピオルニスの卵は史上最大で，恐竜の卵よりも大きい

エピオルニス・マキシマス
Aepyornis maximus
意味：巨大な背の高い鳥

獣脚類・古顎類
新生代第四紀・植物食・体高 3 m 以上
生息地：マダガスカル

最も重い鳥として知られる（推定体重 400kg 以上）。体形はエミューに似て，頸は長く頭は小さいが，足が極めて太かった。翼は退化し，飛ぶことはできなかった。少なくとも 10 世紀ごろまでは生存していたと考えられ，『千夜一夜物語』に登場する怪鳥ロックはこの鳥がモデルとされる。卵は長径 32cm，体積は 9L にもなり，史上最大の卵である。卵の殻が浜辺でよく見つかることから，浜辺で営巣していたと考えられる。

ペラゴルニス・サンデルシ
Pelagornis sandersi
意味：古生物学者サンダースの海鳥

獣脚類・ペリカン目
新生代漸新世・魚食性・翼開長 7 m
化石の産地：アメリカ

空を飛ぶ史上最大級の鳥（翼開長が最大）として
知られる。アホウドリのように細長い翼をもつこ
とから，海上でソアリング※しながら魚を捕らえ
ていたと考えられる。下顎（かがく）はひとつながりでは
なく，左右に分かれており（一般に鳥類は左右の
あごが癒着している），上嘴は上下に動かせた。
ペラゴルニス類は擬歯鳥類（ぎし）とも呼ばれ，嘴に歯
のような突起（真正の歯ではなく，あごの骨が変
化したもの）が多数並んでいた。

アルゲンタビス
Argentavis
意味：アルゼンチンの鳥

獣脚類・テラトーン類
新生代中新世・死肉食・翼開長 6 m
化石の産地：アルゼンチン

空を飛ぶ史上最大級の鳥（推定体重70kgは飛ぶ鳥の中では最大）として知られる。嘴は巨大で細長く，先端はかぎ状。コンドルに近縁で，草原など開けた場所でソアリング※しながら，動物の死骸を探していたと考えられる。発見されている化石が部分的で，詳細は不明。

擬歯

ハヤブサの擬歯

鳥は一度歯を失っているので二度と歯が発生することはない。その代わり擬歯が進化した。

※
翼を広げたまま羽ばたかず，風の力を利用して高度を下げずに飛び続ける飛行法，帆翔ともいう

参考文献
Anderson A （1989）Prodigious birds：moas and moa-hunting in prehistoric New Zealand. Cambridge University Press, Cambridge.
Bertelli S et al. (2007) A new phorusrhacid （Aves：Cariamae）from the Middle Miocene of Patagonia, Argentina. Journal of Vertebrate Paleontology 27(2)：409-419.
Dyke G & Kaiser G eds. (2011) Living Dinosaurs：The evolutionary history of modern birds.

長谷川政美 （2018）マダガスカル島の自然史. 海鳴社，東京.
セプカDT & ハビブM （2017）史上最大の飛ぶ鳥ペラゴルニス. 真鍋真（編）よみがえる恐竜：最新研究が明かす姿：108-115. 日経サイエンス社，東京.
マーシャルLG （2004）南米に君臨した巨大肉食鳥. 日経サイエンス編集部（編）地球を支配した恐竜と巨大生物たち：104-111. 日経サイエンス社，東京.
Paul GS (2002) Dinosaurs of the air. The John Hopkins University Press, Baltimore.

羽毛恐竜の "作り方"
～古生物の復元画のノウハウ

イラスト・文・写真
川口 敏

有史以前に絶滅した生物は当然，写真がなく，復元のヒントも化石などに限られる。しかし，生物である以上，ある程度共通のルールがある。"正しい"復元画を作るには，そのルールを知ることが第一歩だ。

恐竜の復元画

　18，19世紀の生物図鑑といったら，みんな手描きの絵だった。しかし，20世紀の中ごろからカラー写真が普及しはじめると，図鑑の絵は写真に置き換わり，画家は必要とされなくなった。ところが，いまだに画家が重宝される分野がある——古生物の世界だ。古生物はすでに絶滅しているので，生きた姿を写真に収めることはできない。そこで，復元アーティストの出番というわけ。この状況はこれから先もずっと変わらない。生物の絵を描いて生計を立てようとする画家なら，絶対外せない分野であろう。しかし，復元画を描くのは技術的にとてもハードルが高く，その割にはお金にならないということを覚悟しなければならない。

　恐竜の描き方というのは，とっくの昔に確立されている。まずは，現生動物をたくさん解剖して動物の体のつくりを勉強し，模型を作り，それをモデルに絵を描く。しかし，これはあまりにもたいへんな作業なので，たいていは敬遠される。それをバカ正直にやっているのは，ぼくだけかもしれない。実際にやってみて，気づいたことを書きとめてみた。

ツグミ

黒い過眼線で目のありかがわかりにくい

皮をはいだ状態

巨大な眼球

眼球が大きいわりには、外から見える目の大きさは小さい

まずは解剖

　恐竜は骨しか残っていない。生きた姿を復元するには，骨に筋肉をつけて，その上に皮膚をのせ，着色しなければならない。このときに参考になるのが鳥類や哺乳類である。だから恐竜を復元するには，これらの動物を解剖して体のつくりを知らなければならない。ぼくは解剖歴25年以上，骨格標本は3000体以上作ったが，いまだに勉強中だ。体のつくりは解剖学の教科書を見ればわかる，と思われるかもしれないが，そうはいかない。「百聞は一見に如かず」で，実物を見ないとわからないことは多い。

　そして経験の有無は復元画におのずと現れる——例えば眼だ。小型の肉食恐竜ステノニコサウルスは眼窩（眼球が収まる空間）が極めて大きいのが特徴である。それで眼もやたら大きく描かれることが多いが，眼窩が大きいからといって，眼も大きいとは限らない。鳥も眼窩が大きく，眼球も眼窩か

① 模型の作り方。ステノニコサウルスの骨格図を参考に、完成時の大きさの側面図と背面図を描く。この設計図を見ながら、発砲スチロールで頭と胴体の心材を作る。手、足、尻尾など細いところは、角材と針金を使って骨組みを作る

② 心材と骨組みに塑像用粘土を巻いて大まかに造形する。粘土は乾燥すると縮んで割れるので、あらかじめ割れ目をつけておく。また、割れ目を入れておくと心材を取り除きやすい

③ 心材を取り除く。顔、手、足を造形してアクリル絵の具で着色。上からツヤ出しを塗る

らはみ出るほど巨大だが、〝見かけの眼のサイズ〟は拍子抜けするほど小さい（**左イラスト**）。外から見えるのは虹彩と瞳孔（ひとみ）だけで、白目の部分（鳥の眼は黒い）が皮膚に覆われているからだ[1]。ただし、フクロウやヨタカなどの夜行性の鳥は虹彩が大きく、見かけの眼のサイズも大きい。

恐竜の眼の大きさはどうやって決定されるかというと、眼球の中にある強膜骨と呼ばれるドーナツ状の骨を見ればわかる。強膜骨の外径はほぼ眼球の直径に相当し、見かけの眼の大きさ（虹彩の大きさ）は強膜骨に開いた穴の大きさに相当する。

ステノニコサウルスは眼球が大きいので夜行性だったのではないかともいわれるが、観察ポイントは眼球の大きさではなく、虹彩の大きさだ。残念ながら、ステノニコサウルスの強膜骨は見つかっていないので、眼の大きさはわからず、夜行性かどうかもわからない。

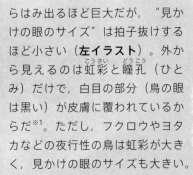

④ 各パーツをつなげて、毛皮を張りつければ完成。羽毛はタヌキの毛皮を代用している

模型づくり

リアルな恐竜の絵を描くには、模型を見て描くのがいちばんである。というわけで、次は模型作りだ（**写真①〜④**）。羽毛恐竜を復元するときのいちばんの難点は、羽毛をどうするかで、これは粘土では表現できない。

恐竜の羽毛の見た目は、鳥の羽というより獣毛に近い。なので、ぼくはタヌキやハクビシンの毛皮を代用している。これなら扱い慣れているし、自宅周辺でよく手に入るからだ（田舎では動物の事故死体がよく路上で落ちている）。利用する毛皮が決まったら、模型の大きさが必然的に決まる。タヌ

キの毛皮を使う場合，胴周りをタヌキと同じぐらいの大きさにすれば，毛皮がよくフィットして自然な感じに仕上がる。ただし，恐竜の場合，頸や尻尾が長いので，2頭分の毛皮が必要になる。結果的に，模型の大きさは1mを超えてしまうが，これぐらいの大きさに作ると，まるで生きた本物の恐竜のように見える（**右写真**）。

博物館で展示されている羽毛恐竜の模型は化学繊維の人工毛皮を用いているからか，ぬいぐるみのように見えてしまう。本物の毛皮は，部位によって毛の長さは異なるし，色も変化する。1本の毛を見ても，先端が暗色で，根元は白い。また，白黒のストライプ模様が入っていることもあり，なかなか複雑だ。このようなディテールを人工物で表現することは不可能に近い。

模型ができれば，復元画はできたも同然である。模型を見ながら，静物画を描くように描けばよい（**写真⑤〜⑧**）。ぼくの場合，模型に自然光を当てて，写真を撮る。その写真をコピー機で拡大するように機械的に描く。コピー機と違うのは，細かな修正をやっていることである。模型はどうしてもディテールが甘い。その甘い部分を，絵を描くときに補ってやる。

ところで，ぼくが作った恐竜模型はかなり雑だが，それでも人目をひく。展覧会を開くといちばんに子どもが食いつく。中には「お小遣いをいくら貯めたら買えますか」といったかわいらしい申し出もあった（こんな雑なものを売るのはサギ同然なので売らないけど）。

恐竜模型の注目度が高いのは確かで，公金でアートを買うなら，恐竜模型を買ったほうがいい（ロンドン自然史博物館でいちばん人気の展示物は実寸大の動く日本製ティラノサウルスだった）。願わくば，子どもを載せて自立歩行する実寸大のメカ・トリケラトプスやメカ・アパトサウルスなんかがいい。これなら大人だって見たい。四足歩行の動物なら，技術的にも難しくはないと思う。戦車2，3台買うお金があれば，軽く作れるだろう。ちなみにぼくが作った恐竜模型の材料費は1体3000円ぐらい，製作時間は100時間程度である。

※1
ヒトの眼は白目，虹彩，瞳孔が見える。

ヴェロキラプトルの模型。羽毛はタヌキの毛皮を代用

プシッタコサウルスの模型。背面は暗色，腹面は明色のカウンターシェーディングになっている

恐竜の体色

近年，恐竜は鳥に近いということで，カラフルな恐竜がたくさん描かれるが，これはたいへんな間違いだ。身近にいる鳥を観察してもらえればわかるが，そんなにカラフルな鳥はいない。ほとんどが地味な隠蔽色^{※2}である。また，全身極彩色の動物もいることにはいるが，それは鳥以下の小型のものに限られるということを覚えておこう。

というわけで，体の大きい恐竜の体色はもっぱら隠蔽色だっただろう。その隠蔽色にもいくつかパ

⑤ 絵の描き方。イー・チーの場合，胴体はカラス，翼はコウモリをモデルにした。カラスは公園で撮影したもの。コウモリは自宅近くで拾った死体で，冷凍庫に保存していたもの。コウモリの写真を撮るときに，光線の向きをそろえるように注意した

⑥ 7mm四方の方眼を入れたアニメ用セルにイー・チーの写真を張り付け，画用紙には18mm四方の補助線を引く。これで正確に写真を写し取ることができる。シャープペンシルで輪郭を描いた後，水張り

⑦ 不透明水彩で薄く色づけした後，0.3mm程度のカラーボールペンを使って，皮膚のしわや羽毛の輪郭を描く。水彩だけだと地味で輪郭がぼやけた絵になりがちだが，カラーのボールペンを併用することで，より鮮やかでシャープな絵になる

⑧ 絵の具を重ねて，彩度やコントラストを上げていく。黒色の部分は，墨汁を使っている。どの絵でも色は最低5色（赤，黄，青，白，黒）使う。全身真っ赤な鳥でも5色は使う。青色なんてどこに使うのか，と思うかもしれないが，陰の部分に使う。印象派の画家がよくやっていた手法だ（完成イラストは41ページに掲載）

ターンがあって，最もよく見られるのがカウンターシェーディングだ[※3]。恐竜プシッタコサウルスもそうだったことがわかっている（**左写真**）。カウンターシェーディングとは，「逆の陰」といった意味で，背面は暗い色で，腹面は明るい色になっている。ちょうど下から光を当てたときにできるような陰影である。こうすると，上から光が当たったときにできる陰影と相殺して，全体が一様な中間色になり，立体感が消失し，肉体のないペラペラの平面に見える。画家にとってこのような動物は描きにくい。立体感を出そうと思っ

て影をつけると，逆に立体感がなくなるからだ。

もう一つは分断色。シマウマのしま柄がそうである。コントラストの強い白や黒の模様があると，体のシルエットが認識できず，それが何なのかわからなくなる。つまり正体を隠すことができる。動物だとバレなければ，捕食されることはないし，獲物に逃げられることもない。

また，現生の動物は，眼を横切るような黒いストライプ模様が入ることが多い。これも分断色の一種で「過眼線（かがんせん）」と呼ばれる（→p.86イラスト）。過眼線は

目玉を隠す効果と，眼に入る反射光を抑える働きもある。

というわけで，動物の体色についても勉強しなければならないが，あいにく手ごろな教科書はほとんどない。日本語で書かれたものは『動物の体色』（日高敏隆著，1983年）だけだ。鳥の色彩については，"National Geographic Bird Coloration" (Hill 2010)が役に立つ。

※2
動物の体色や模様の中で，周囲の背景の色などに埋もれてしまい，見えづらくなること。ほかの動物から見えにくくなる効果をもつ。

※3
p.11 参照

羽毛恐竜の登場で変わる博物館の展示

文・写真／真鍋真

私たちが恐竜の知識や情報を得るのに欠かせない場所が博物館だ。恐竜温血説から羽毛恐竜の登場といった新しい知見によって恐竜のイメージが劇的に変わる中，博物館の恐竜展示もそれに適応しなくてはならない。

"恐竜"を展示するには

現生の脊椎動物が博物館で展示される場合，剥製か交連骨格[※1]のいずれかになるのが一般的で，半身が骨格，半身が表皮というスタイルの展示もある。一方，恐竜などの絶滅種の場合，化石に残りやすいのは骨や歯などの硬組織で，表皮などの軟組織が残ることは稀だ。そのため，絶滅種の展示では交連骨格がほぼ唯一の選択肢である。

実物化石を組み込むことで，展示の独自性や希少性を示すこともあるが，交連骨格に組み込む場合，その化石の重量を支えるとともに，後のさらなる研究のために実物化石が着脱できる工夫を施さなくてはならない。そのため骨格に沿って支柱が組まれることになり，多くの場合，支柱が目立ってしまう。実物化石を骨格に組み込むのではなく，骨のレプリカだけを使うことで，支柱を骨の中に通し，骨だけで自立するとともに，走ったりしているような躍動感のあるポーズでの展示も行われている。

「恐竜温血説」から始まった

1970年代に普及しはじめた「恐竜温血説」は，獣脚類恐竜が尾を地面に引きずるのではなく，尾をピンと伸ばし，頭と尾で前後のバランスを取って躍動的に走行する動物であったことを明らかにした。それとともに，恐竜の展示姿勢はジャンプしたようなダイナミックなポーズや，個体数を増やして群れの生態を示す展示などに大きく変わっていった(**図1**)。

恐竜温血説に続き，「恐竜は完全に絶滅したわけではなく，一部は鳥類に進化して現代にも存続している」という系統仮説が1970年代以降広く知られるようになった。すべての鳥類は獣脚類の部分集合[※2]であることから，ニワトリは鳥類であるとともに，恐竜であることも意味する。このため，鳥類以前の狭義の恐竜を指す分類用語として「非鳥類（型）獣脚類」「非鳥類（型）恐竜」という名称が使われるようになった。そのため1980年代ごろから，世界各地の恐竜展示室の中に，現生鳥類も展示されることが多くになった。

しかし大多数の人々は，羽毛や翼が進化するのは，鳥類になってからの出来事だろうと考えていた。それが1993年のシノサウロプテリクスの発見によって，ウロコから綿羽のような羽毛への進化は非鳥類獣脚類の段階ですでに起こったことが明らかになった。一方，綿羽はコエルロサウルス類の進化の初期に出現していたとしても，羽軸のある風切羽や，風切羽で構成される翼（→p.49）の出現は始祖鳥以降の"鳥類"になってからだろうと当初は考えられていた。

ところが2003年に発見されたドロマエオサウルス科のミクロラプトルに翼があったことが確認されると，どこまでが恐竜（非鳥類獣脚類）で，どこからが鳥類なのか，その境界線を引くことが難しくなってしまった（**図2**）。分類学の観点で見れば，新種の化石が出るたびに分類の定義が変わるようなことは好ましくない。そこで現在は歴史的な経緯から，始祖鳥よりも現生鳥類に近いものを鳥類に分類することにしている。

生態や触感を伝える展示

羽毛恐竜が明らかにしたのは，非鳥類獣脚類から鳥類への形態の進化だけではない。例えばオヴィラプトル類はかつて，ほかの恐竜の卵を盗んで食べる獣脚類と想像されていたが，その後，自分の巣の上に座り，自分の卵を守りながら，自分の体温で卵の中の胚の成長を促進するという，鳥類らしい行動をしていたらしいことが明らかになった（**図3**）。オヴィラプトル類の前肢の翼や尾羽は飛行には小さすぎるが，抱卵の際に卵を覆うのには十分だったかもしれない。このような化石の発見がなけれ

ば,非鳥類獣脚類の段階で,飛行以外の翼の機能がすでに進化していたことに人類は気がつかなかったかもしれない。

　始祖鳥の化石を知る人であれば,骨格の周りにうっすらと羽毛や翼が平面的に残されていることを知っているだろう。ほとんどの羽毛恐竜の化石も同様で,骨や歯に比べて繊細な羽毛は,押葉標本のように平板状に化石になっている。そのため羽毛恐竜を3次元の交連骨格のように展示することが難しい。体表がウロコで覆われていた非鳥類獣脚類が,繊維質の羽毛で覆われるようになり,やがて翼や尾羽をもつようになったことを展示で解説するためには,剥製

のような生体復元模型が適しているだろう。一方,前肢に翼をもつ過程での手首の形態の変化や,尾が尾羽となる過程での尾椎の短縮化と尾端骨（びたんこつ）の形成,骨盤の形態の変化などは骨格でなければ解説できない。

　生体復元模型は交連骨格よりも体積が大きいことから,両者を並べると前者のほうが存在感が出てしまう。そのためこれまで展示は骨格を主とし,生体復元は画面を使用したAV解説で行われることが多かった。

　しかし,来館者の中には視聴覚による情報収集を得意としない人々もおり,ユニバーサルデザインの観点での課題となる。筆者が

勤務する国立科学博物館では,始祖鳥のレプリカをブロンズ製にすることで,羽毛の凹凸を手触りで感じられる展示を製作した。繊細な羽毛の手触り感は研究者でも体験できない感覚だが,始祖鳥の全身像が伝わらなければ,羽毛に触れる体験の意義は乏しいだろう。羽毛恐竜は私たち博物館人に,展示に関するさらなる意識改革を求める存在なのかもしれない。

※1
骨と骨は靱帯（じんたい）,腱（けん）,筋肉といった軟組織でつながっている。軟組織の代わりに金属のフレームなどで骨と骨をつなぎ合わせて,骨格の形に復元したもの

※2
この文を言い換えると「すべての鳥類は獣脚類に含まれる」となる

図1　テノントサウルス（左）を追う
2体のデイノニクス（国立科学博物館・「恐竜博2019」）

図2　ミクロラプトル産状化石
（国立科学博物館・常設展示）

図3　巣の上で抱卵するシチパチ（オヴィラプトル類）
（国立科学博物館・常設展示）

羽毛恐竜や絶滅鳥類に出会える博物館

恐竜の研究はヨーロッパから始まり，その後，米国，アジアへと広がっていった。そのため，恐竜を展示する博物館は世界各国にある。古生物好きならいつかは行きたい，あこがれの博物館を紹介しよう。

※博物館の情報は 2023 年 2 月時点のものです。

ロンドン自然史博物館（イギリス）

文・写真／川口 敏

1881年に設立された，世界最大級の自然史博物館。イギリスは世界で初めて恐竜が発見された場所であり，初代館長リチャード・オーエンは「dinosaur（恐竜）」という言葉を作った人としても知られている。トリケラトプスやステゴサウルスなどの有名な恐竜のほか，イグアノドンやバリオニクスなど，イギリスゆかりの恐竜が数多く展示されている。

同館のいちばん人気は実寸大の動くティラノサウルスだ。あまりにリアルなので，恐ろしくて泣き出してしまう子どももいる。実はこのティラノサウルスは日本製だ。もちろん本物のティラノサウルスの化石も展示されているのだが，そちらはだれも見ていない。本物より日本製のニセモノに注目が集まるのには苦笑してしまうが，この模型も保存すべき大切な文化財である。

さて，同館で見るべきはリチャード・オーエンの収集品だ。オーエンはシソチョウ（始祖鳥），モア，ドードー，オオウミガラスなどの研究者でもあり，その実物標本が2階の「宝物館」に展示されている。同館のシソチョウは最初に発見された全身骨格で，叉骨（さこつ）や羽毛の痕跡がよく観察できる。ただし頭部がなく，歯がついていたかどうかはわからない。オーエンはこの標本を調べて，シソチョウを鳥類に分類した。

また，イギリスは世界で初めて魚竜と首長竜が見つかった場所でもある。同館は中生代の水生爬虫類のコレクションが充実しており，これも見逃せない。中には，化石商でイギリスの初期の化石ハンター，メアリー・アニングが発見した首長竜の全身骨格も含まれている。しかしこの首長竜の頸はそれほど長くない。首長竜とはプレシオサウルスのことだが，プレシオサウルスとは「（イクチオサウルス）より爬虫類に近い」という意味で「首が長いトカゲ」という意味ではない。首長竜の中には頸の短いものもいる。

Data

ロンドン自然史博物館
Natural History Museum

Cromwell Road London SW7 5BD
電話：+44(0)207 942 5000
開館時間／10:00～17:00（入館16:00まで）
休館日／12 月 24～26 日
入館料／無料
https://www.nhm.ac.uk

ロンドン自然史博物館。日曜日は開館前から長い行列ができる

水生爬虫類コーナー。約半分が実物化石である

オックスフォード大学 自然史博物館 （イギリス）

文・写真／川口 敏

　オックスフォード大学は，童話『不思議の国のアリス』や『指輪物語』ゆかりの地である（著者が同大学の教授だった）。また，大学界隈は古くて魅力的な建造物が多く，ドラマや映画のロケ地としてもよく使われるため，観光客が多い。

　同大学は恐竜学発祥の地としても知られる。1824年，この大学の地質学の教授だったウィリアム・バックランドが，メガロサウルス（「大きなトカゲ」という意味）を発表した。これが科学的に記録された初めての恐竜である。メガロサウルスは下あごと腰の部分の骨だけしか発見されていないので，全体像は不明だが，あごの中にはスペアの歯が並んでいたことから，爬虫類であることは明ら

かだった。また，後肢が胴体の真下に伸びていて，哺乳類のように直立歩行していたと考えられた（これは恐竜の特徴である）。最初に作られたメガロサウルスの実寸大復元模型はまったくデタラメな代物だったが，人々の関心を集め，恐竜ブームの火付け役となった。

　同大学の自然史博物館は1860年に開設され，バックランドの化石コレクションを所蔵している。しかし，同館の目玉は恐竜ではなく，モーリシャス島の飛べない鳥ドードーで，剥製の残骸（頭部と足）が保存されている（現在，一般公開されていない）。『不思議の国のアリス』にこの鳥が登場する因縁がここにある。

　また，同館は科学史上名高い論争が起きた場所でもある。1860年，オックスフォード司教サミュエル・ウィルバーフォースと解剖学者トマス・ハクスリーが人類の起源をめぐって公開討論を行った。内容があまりに過激だったので，卒倒した聴衆もいたという。ハク

スリーは「ダーウィンの番犬」とも呼ばれ，自然淘汰説の熱烈な信奉者である。また，鳥類が恐竜から進化したと考えた最初の人物でもある。

Data

オックスフォード大学 自然史博物館
Oxford University Museum of Natural History

- - - - - - - - - - - - - - - - -

Parks Road, Oxford OX1 3PW, UK
電話：+44 1865 272 950
開館時間／10:00〜17:00
休館日／12月24〜26日
入館料／無料
https://www.oum.ox.ac.uk

オックスフォード大学
自然史博物館

館内は19世紀の博物館の様子を今に伝える

アメリカ自然史博物館は1869年に設立された世界最大級の自然史博物館である。恐竜研究の世界的な中心地でもあり，別名「恐竜博物館」とも呼ばれる。ティラノサウルス，アパトサウルス，ステゴサウルス，トリケラトプス，アンキロサウルスなど各分類群の代表的な種がまんべんなく展示され，恐竜全体を概観できる。また，一般展示の85％は実物化石という触れ込みだ。

正面玄関をくぐると，バロサウルスとアロサウルスの巨大な骨格ディスプレイが出迎えてくれる。メインの恐竜コーナーは4階で，エレベーターで昇れば展示室は目の前だ。まずは入ってすぐのところにあるデイノニクスの全身骨格（実物）にあいさつしよう。デイノニクスは鳥類の恐竜起源説の

きっかけになった恐竜だ。また，映画『ジュラシック・パーク』に登場するヴェロキラプトルは，実はこのデイノニクスがモデルである。本物のヴェロキラプトルは案外小さく，せいぜい大型犬ぐらいだ。

今やすべての恐竜に羽毛が生えていたかもしれないと考えられるようになったが，羽毛がなかった恐竜も確かにいる。例えば，カモハシ竜のエドモントサウルス——ここにはその "ミイラ化石" と称するものがある。干からびた皮膚や筋肉が残っており，つい最近死んだかのような状態に見えるが，まぎれもなく化石だ。注目すべきは皮膚に残っているうろこである。これを見れば，誰だって恐竜は全身うろこで覆われていたと思う。長らく恐竜がトカゲのように復元されてきた理由がここにある。

同館は恐竜だけでなく，そのほかの動植物の標本から宝石や隕石まで，自然のあらゆる事物を観覧できるが，コレクションがあまりに膨大で，すべてを見るには何日

かかるかわからない。時間が限られているなら，恐竜だけにしぼるべきであろう。

Data

アメリカ自然史博物館
American Museum of
Natural History

- - - - - - - - - - - - - - - - - -

200 Central Park West New
York, NY 10024-5102
電話：+1 212-769-5100
開館時間／10:00〜17:30
休館日／感謝祭（Thanksgiving Day, 11月の第4木曜），12月25日
入館料（一般展示）／大人：$23，学生：$18（要身分証），子ども（3〜12歳）:$13，60歳以上：$18
https://www.amnh.org

2019年に開館150周年を迎えた。エントランスの前にインディアンと黒人を従えるセオドア・ルーズベルト大統領の騎馬像が見られるが，人種差別的であるという理由で2022年1月に撤去された

4階の竜脚類コーナー。中央にティラノサウルスの全身骨格があるが，これはレプリカ。実物頭骨は床に展示されている

ロイヤル・ティレル 古生物博物館 （カナダ）

文・写真／田中康平

　カナダ・アルバータ州，ドラムヘラーのドライブから，時空を超えた旅は始まる。この街は谷間にあり，白亜紀の地層に挟まれているからだ。吸い込まれるように坂道を下ると，それまでの草原地帯は一変，灰色や褐色の層が織りなすホースシューキャニオン層が姿を現す。一帯からは白亜紀後期の恐竜化石が見つかっており，カナダを代表する恐竜，アルバートサウルスの故郷でもある。西部劇に出てきそうな乾いた街並みとヘンテコなハリボテ恐竜を抜けてさらに進むと，バッドランド（荒涼とした大地）にそびえるティレル博物館のお出ましだ。

　1985年，この博物館は化石産地のど真ん中に建てられた。それまで同州の恐竜化石標本は，トロントやニューヨークなど世界各地の博物館に送られていたが，博物館の建設によって標本の流出は止まり，現地で研究や展示ができるようになった。以降，カナダの至宝を数多く収蔵する博物館として，また気鋭の古生物学者たちが最新研究を発信する場として，ティレル博物館は恐竜研究の聖地であり続けている。アクセスの悪い場所に建てられているが，その立地は完璧なのだ。

　最初の展示室には，アルバートサウルスが跋扈した当時の様子が再現されている。とても精巧なジオラマで，タイムスリップしたかのような錯覚に陥る。さらに，漆黒のティラノサウルスの骨格やミイラ化したボレアロペルタなど，「宝」の数々が惜しげもなく登場し，まさにメインディッシュだけで完結するコース料理のようである。クラシック音楽が流れる展示室や化石クリーニング室，さらには視覚障害の来館者が指で触れて展示物を把握できるレリーフ状の展示パネルなど，随所にこだわりも感じる。

　ここではオルニトミムスの標本にも注目してほしい。飛べないダチョウ型恐竜の成体標本には腕に羽の付着痕跡が残り，立派な翼（原翼）があったと推測されている。一方，幼体の標本には体を覆うフワフワの羽毛の痕跡が見られる。翼の起源に迫る研究の発端となった，北米初の羽毛恐竜化石である（→p.8）。来館の際はぜひ観察を！

Data

ロイヤル・ティレル 古生物博物館
Royal Tyrrell Museum of Palaeontology

バッドランドにたたずむロイヤル・ティレル古生物博物館

P.O. Box 7500, Drumheller, Alberta Canada I0J 0Y0
電話：1-403-823-7707
開館時間／9:00〜21:00（5/15〜8/31），10:00〜17:00（9/1〜5/14）
休館日／月曜日，12月24-25日，1月1-2日
入場料／大人：$21(カナダドル)，65歳以上：$14，7〜17歳：$10，7歳以下：無料（家族割あり）
https://tyrrellmuseum.com

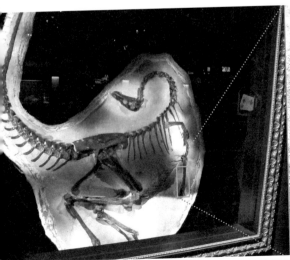

額縁に飾られたオルニトミムスの成体標本。尺骨に翼の付着痕跡が見られる（右，黒いシミのような点）。いつも展示されているとは限らないが，来館の際はぜひチェックを！

中国古動物館
（中国）

文・写真／黒須球子

　中国・北京に来たら必ず訪れて欲しい博物館の一つだ。ここは中国科学院古脊椎動物古人類学研究所付属の博物館であり，間違いなく中国で最も有名な古生物博物館の一つなのだが，あまり一般の観光客には知られておらず，知る人ぞ知る穴場になっている。

　古動物館は北京の東側，地下鉄「動物園駅」を降りてすぐの場所にある。隣には北京天文館が，さらに大きな道路を挟んで向かい側には北京動物園がある。北京動物園と北京天文館は1950年代からある古い施設だが，古動物館は1995年に開放された比較的新しい施設である。

　館内は3つのフロアと4つの展示室からなり，それぞれの展示室には「古代の魚と両生類」「古代の爬虫類と鳥」「古代の哺乳類」「古代人類・旧石器」が展示されている。あまり大きくはないが，それぞれの展示室には有名な古生物化石が勢ぞろいしている。古生物ファンであれば，「あっ，この化石は論文で読んだやつだ！」と，びっくりするかもしれない。基本的に館内の標本はほとんどが本物で，しかもホロタイプ[1]を多く含んでいる。

　さらにもし運がよければ，展示室で標本を研究している研究者に会えるかもしれない。実は古動物館では，大型の恐竜化石のホロタイプも直接展示しており，博物館に併設された研究所を訪れる世界中の研究者が，毎日それらの標本を研究しに来ている。

　おすすめの見どころは，1階奥のフロアにある羽毛恐竜と翼竜のスペースだ。ここには中国が誇る羽毛恐竜の産地，遼寧省熱河層群の標本が並んでいる。また2階の展示ケースの中には，1999年に「キメラ恐竜」として話題になったアーケオラプトル（*Archaeoraptor*）[2]の標本もある。これは当時問題になった，中国の偽造化石事情とも深い関係がある。

　中国の古生物博物館の中ではアクセスもよく，展示も充実している。機会があれば，ぜひ訪れてほしい。

Data

中国古動物館
（Palezoological Museum of China）

古動物館正面

入口近くにある角竜プロトケラトプスの赤ちゃんの石像

北京市西城区西直門外大街142号
電話：+86-010-88369210/9280
開館時間／9:00〜16:30
休館日／月曜日（法定で定められた休日と，冬休み・夏休み期間は休業）
入館料／成人：20元，大学学部以下の学生，60歳以上の高齢者：10元，未成年者：無料
https://www.paleozoo.cn/

※1
新種の生物を論文に記載するときに用いる模式標本，タイプ標本とも呼ばれる。

※2
1999年にナショナル・ジオグラフィック誌で発表された羽毛恐竜。だがその翌年，鳥類の上半身とドロマエオサウルス科の下半身を組み合わせた合成化石であったことが報告された（→ p.53）。

上海自然博物館
（中国）

文・写真／黒須球子

　中国・上海市にあり，1950年代に設立された，上海を代表する自然史系の総合博物館の一つだ。建築面積は45,257m²（≒東京ドーム1つ分）にもなり，展示内容も現生生物から古生物化石まで幅広い。2015年にリニューアルオープンして以降，世界中から多くの観光客が訪れる。

　博物館は静安凋塑公園という，現代的な彫刻の立ち並ぶ広大な公園の一角にある。建物はらせん状で，カタツムリの殻に着想を得たというおしゃれな建築だ。自然系の博物館らしく，「進化」を展示の主軸に置いている。中に入ると，4フロアを貫く巨大なホールに，巨大な竜脚類マメンチサウルスの骨格が展示されている。

　館内は広々とした空間が広がり，常設展示エリアだけでも10個のホールがある。北京の中国古動物館（→p.96）は小スペースに重要な情報がぎゅっと詰まった印象だが，この館は視覚効果をうまく利用した現代的な印象を受ける。現生の動物，植物の進化，古代人類の歴史などの展示のほかに，古生物の展示フロアがある。

　上海は中国のやや南部（緯度は鹿児島県と同程度）に位置するため，その周囲の浙江省や安徽省，さらに四川省の標本が多く収蔵されている。特にアジアでも貴重な先カンブリア時代の「淮南生物群」，微小な「瓮案生物群」，さらにアノマロカリスの仲間を含む，カンブリア紀の「澄江動物群」の展示は，中国における先カンブリア～カンブリア紀の古い資料を知るうえで興味深い。

　羽毛恐竜の化石は，地下1階の「進化の道」エリアに展示されており，ミクロラプトルの仲間の化石が見られる。特別展示も頻繁に行われ，博物館オープン当初は羽毛をもつティラノサウルス類，ユーティラヌスの化石がメインホールに展示されていた（現在は返還されている）。上海を訪れた折には，ぜひ一度寄ってほしい。

上海自然博物館
(Shanghai Natural
History Museum)

上海市静安区北京西路510号（静安雕塑公園内）
電話：+86-21-62620116
開館時間／9:00～17:00
休館日／月曜日（法定で定められた休日と，冬休み・夏休み期間は休業）
入館料／成人：30元，60歳以上の高齢者：25元，小学生以上：12元，未就学児：無料
https://www.snhm.org.cn/

現代的な建築の印象の博物館

古生物の展示が充実

羽毛恐竜や絶滅鳥類に出会える博物館 日本編

日本は博物館大国と呼ばれる。自然史をテーマにした博物館では、恐竜は子どもから大人まで人気の展示だ。ここでは羽毛恐竜や絶滅した鳥類の展示がある博物館を紹介する。

※博物館の情報は2023年2月時点のものです。

国立科学博物館（東京都）

文・写真／真鍋 真

当館の恐竜展示室は、中央の円形ゾーンに竜盤類を、そこから派生した鳥盤類をその周囲に配置するように構成されている。恐竜から鳥類への進化の中で、最初期の恐竜の段階からすでに羽毛があったという説もあれば、獣脚類のコエルロサウルス類になってから出現したという説もある。羽毛の起源はさらに翼竜にまでさかのぼるという説もある。当館ではさまざまな対立仮説がまだ検証の段階にあると考え、常設展示では特定の仮説の解説はしていない。また、2017年には恐竜を竜盤類と鳥盤類ではなく、竜盤類とオルニソスケリダ（Ornithoscelida）類に分類する説も提案されたが、これも十分な支持を得られていないと考えられるため、そのような解説を補足していない。

鳥類の恐竜起源説や羽毛恐竜に関しては、恐竜展示のイントロダクションとして、上述の竜盤類と鳥盤類のメイン展示室に至るまでの空間を使って解説している。最初の展示に始祖鳥、さらに化石が発見・発掘・研究・展示されるまでのプロセスを、羽毛恐竜と考えられるバンビラプトルで解説し、日本ではまだ当館でしか常設展示されていないミクロラプトルの産状化石のレプリカを展示している（→p.91）。また、鳥類の恐竜起源説の提唱において重要な種だったデイノニクスのレプリカは360度回転させて、あらゆる角度から観察できる。また展示室中ほどでは、オヴィラプトル類のシチパチが鳥類のように抱卵していた

らしいことを示すレプリカを展示（→p.91）。シチパチは巣の上に成体が覆いかぶさったような産状化石は多く展示されているが、骨格を交連骨格※にして、抱卵している姿を復元したのは当館のこの展示が世界初の試みだろう。また、グラフィックパネルと液晶画面上のAV解説だけだが、シチパチとティラノサウルスが羽毛に覆われた生体復元を紹介している。

※
軟組織（靭帯、腱、筋肉）の代わりに金属などを使って、骨格の形を復元したもの。

Data

国立科学博物館

〒110-8718
東京都台東区上野公園7-20
電話：03-3822-0111（代表）
開館時間／9:00〜17:00
休館日／月曜日（祝日の場合は翌日）、年末年始。事前にホームページ等で確認してから来館すること
入館料（常設展示）／一般・大学生：630円、高校生以下：無料、65歳以上・18歳未満・障がい者は無料（ただし証明書提示が必要）
https://www.kahaku.go.jp/

360度回転させて、いろいろな角度から観察できるデイノニクス

日本館を上野公園から見る

福井県立恐竜博物館
（福井県）

文・写真／河部壮一郎

当館は日本でも有数の恐竜化石産地の福井県勝山市にある，地質と古生物に特化した博物館だ。2000年の開館以来，多くの特別展や企画展を開催し，また常設展示の更新も行ってきたが，2023年夏にリニューアルおよび増築工事が行われ，これまでとは大きく様変わりする予定だ。

当館では特にアジアを中心とした世界各国の恐竜に関する展示や地質，古生物に関する展示が充実している。福井県勝山市の恐竜化石産地で精力的に発掘調査を行っており，羽毛恐竜フクイベナートルを含む5種の恐竜が見つかった（→p.50）。館内ではこれらの実物標本（ホロタイプ）を見ることができる。また，世界で初めて見つかった羽毛恐竜シノサウロプテリクスや，カウディプテリクスなどの精巧なレプリカをはじめ，始祖鳥など中生代の絶滅鳥類の標本も豊富だ。特に始祖鳥の標本は，館の新設にあたって原標本から直接型取りしたものもあり，レプリカといえども一見の価値がある。そのほかにも常設展示には出ていないが，イクチオルニスやヘスペロルニスなど，白亜紀を代表する鳥類の交連骨格標本※もあり，特別展や館外での出張展示などで顔を出すことがある。

絶滅鳥類でいえば，勝山市の恐竜化石産地で見つかったフクイプテリクスは，世界中でも本館でしか展示されていない（→p.51）。フクイプテリクスは始祖鳥に次いで最も基盤的な鳥類であることがわかっている。この化石は，岩石から物理的に分離することが難しかったため，CTスキャンデータからデジタル上で化石を抽出した。そのため，当館では実物化石（岩石中に骨が埋まったままの状態）と，CTスキャンによるデジタルデータから作製した全身骨格（2倍に拡大）を展示している。

※
軟組織（靱帯，腱，筋肉）の代わりに金属などを使って，骨格の形を復元したもの。

Data

福井県立恐竜博物館

〒911-0023
福井県勝山市村岡町寺尾 51-11
電話：0779-88-0001
開館時間／ 9:00 ～ 17:00（入館16:30まで）
休館日／第 2・4 水曜日（祝日の場合は翌日，夏休み期間は無休），年末年始
入館料／一般：730 円，高・大学生：420 円，小・中学生：260 円，未就学児・70 歳以上・障がい者は無料
https : / / www . dino-saur.pref.fukui.jp/
info@dinosaur.pref.fukui.jp

※リニューアルオープンに向けた準備作業のため，2023 年度夏まで臨時休館中

博物館外観（リニューアル前）。2023 年夏には博物館入口が一新され，本館西側には新たな棟とドームが増築される

絶滅鳥類の展示エリア。始祖鳥をはじめとした絶滅鳥類の標本が一面に並ぶ

長崎市恐竜博物館
（長崎県）

文・写真／武重胡桃

　日本の古生物学の父とされる横山又次郎東京帝国大学教授は長崎市出身であり，「恐竜」という訳語も横山教授による教科書が日本で最初の記録とされている。また，長崎市南部からはさまざまな化石が発掘され，ティラノサウルス科の大型種の歯の化石が国内で初めて発掘されたことで海外の研究者からも注目を集めている。

　このように長崎市と恐竜には深いつながりがあり，当館はその魅力を発信する拠点として2021年10月に開館した。市内で発見された恐竜化石だけではなく，鳥類への進化や長崎市で見られる野鳥

も解説している。中でも鎖国下の1647年に出島まで船で運ばれたとされるドードーは，モーリシャス島を出て生存が確認された最後の1羽とされているが，出島に到着後はどこにも引き取られることなく，その後も行方不明である。当館で長崎市と恐竜や絶滅鳥類との深いつながりを実感してほしい。

Data

長崎市恐竜博物館

〒851-0505
長崎県長崎市野母町568-1
電話：095-898-8000
開館時間／9:00～17:00（入館16:30まで）
休館日／原則月曜日（詳細はホームページ）
入館料／大人：500円，子ども：200円（常設展示）
https://nd-museum.jp/
（入館はホームページから事前予約）

博物館外観

常設展示室の様子

御船町恐竜博物館
（熊本県）

文・写真／池上直樹

　当館は古生物学に特化した町立の自然史博物館で，後期白亜紀の地層「御船層群」の恐竜化石を発掘し，研究・保存・活用を行っている。

　常設展示には「恐竜進化大行進」と呼ばれる全身骨格群があり，骨格を間近に観察できる。ここでは化石や現生動物の骨格標本を用いて，爬虫類である恐竜から鳥類が分化したことが示されており，白亜紀の絶滅鳥類ヘスペロルニスのレプリカ標本の展示もある。また，羽毛恐竜カウディプテリクスの化石（レプリカ）やトロオドンの動刻復元模型と卵化石（レプリ

カ）によって，恐竜の段階で獲得された羽毛や卵殻が鳥類に受け継がれたことが示されている。さらに恐竜絶滅直後に台頭した大型鳥類（恐鳥類）ガストルニス（ディアトリマ）の展示もある。

　常設展示室は「オープンラボ」と称するバックヤードへ直結し，ここでは，さまざまな作業をガラス越しに見学できる。実際に恐竜化石が岩石から取り出される化石のプレパレーション（岩石から化石を取り出す作業，クリーニング）は必見だ。

Data

御船町恐竜博物館

〒861-3207
熊本県上益城郡御船町大字御船995-6
電話：096-282-4051
開館時間／9:00～17:00（入館16:30まで）
休館日／月曜日（祝日の場合は翌平日），年末年始
観覧料／大人：500円，高大学生：300円，小中学生：200円
https://mifunemuseum.jp

博物館外観

恐竜進化大行進の展示

神流町恐竜センター
（群馬県）
文・写真／田中望羽

群馬県南西部の山奥に位置する神流町には，1953年の国道開設工事中に発見された，さざなみの跡が一面に広がる一枚岩の崖「さざなみ岩」がある。そこに残された不可解な凹みは1985年，日本初の恐竜の足跡であることがわかった。その後，周辺からオルニトミモサウルス類「サンチュウリュウ」の胸胴椎骨のほか，獣脚類，竜脚類，スピノサウルス類の歯の化石が発見されている。当館ではこれらの化石が発見される瀬林層群から発見された二枚貝類や巻き貝，アンモナイト，サメの歯などの数多くの化石を中心に，世界各地の実物化石やモンゴルで発見された恐竜を展示している。

神流町と合併前の中里村は，モンゴル国と恐竜を通した友好関係を結び，文化交流事業として「モンゴル恐竜化石特別展」を開催し

た。当館にモンゴルの恐竜の展示があるのはこのため。タルボサウルスの全身復元模型やプロトケラトプスとヴェロキラプトルの格闘化石，恐竜が抱卵をしていた重要な証拠となった抱卵化石のシチパチなど数多くの標本を見ることができる。

恐竜は体温の維持，あるいは異性へのアピールのために羽毛をもったものが数多くいたとされる。別館の3階ではカウディプテリクスやシノサウロプテリクスなどの羽毛恐竜のほか，飛翔することができたとされるコンフシウソルニス（孔子鳥）や始祖鳥を展示。羽毛を軸に恐竜から鳥への進化を，現生鳥類の標本と比較しながら学べるコーナーを設けている。ライブシアター「よみがえる恐竜」では，オヴィラプトルやヴェロキラプトルを羽毛を生やした状態で復元。またオルニトミモサウルス類の羽毛についての研究成果を反映し，屋外展示しているサンチュウリュウの全身復元模型は鮮やかな赤色の翼を両腕にもち，頭から背中，尾にかけて羽毛をもつ姿へと

2011年にリニューアルした。うろこに覆われた旧復元と比較することができる。

Data

神流町恐竜センター

〒370-1602
群馬県多野郡神流町大字神ヶ原51-2
電話：0274-58-2829
開館時間／9：00〜16：30（入館16：00まで）
休館日／月曜日（祝日の場合は翌火曜日）
入場料／大人：800円，小中学生：500円（団体割引；各50円引）
https://dino-nakasato.org/

恐竜センター入口。サンチュウリュウの屋外展示は羽毛を生やした状態の模型

タルボサウルスの全身骨格

北九州市立自然史・歴史博物館（いのちのたび博物館）（福岡県）

文・写真／大橋智之

　当館は自然史と歴史を扱う西日本最大級の総合博物館で，2002年11月に開館し，2022年に開館20周年を迎えた。自然史展示では，地球の誕生から生命進化を扱った奥行き約100mの回廊「アースモール」に，恐竜をはじめとするさまざまな古生物や現生生物の標本を展示している。ほかにも鳥類など脊椎動物の各分類群の剥製，骨格標本や昆虫などを展示している「生命の多様性館」，北九州で見られる自然環境と生物をジオラマや剥製などで展示する「自然発見館」がある。来館者に人気なのは，約1億3000万年前の北部九州を再現したジオラマの中で恐竜ロボが動く「エンバイラマ館」である。

　羽毛恐竜の展示に関しては，その仲間であるティラノサウルス，デイノニクスの全身骨格レプリカのほか，恐竜から鳥類への進化を紹介できるよう，シノサウロプテリクス，カウディプテリクス，始祖鳥，孔子鳥の産状レプリカを展示している。また「エンバイラマ館」には羽毛を生やしたヴェロキラプトル，ティラノサウルス類の祖先の仲間ディロング，後肢にも翼がある四翼の恐竜として有名なミクロラプトルの生体復元があり，人気の展示となっている。エンバイラマ館の羽毛恐竜は北部九州から化石が見つかっていないが，当時のアジア大陸にいたことがわかっており，陸続きだった日本にもいておかしくない恐竜であることから展示している。

　新生代の絶滅鳥類では，ニュージーランドに生息していたモアの全身骨格レプリカを展示している。また当館の特色として，約3000万年前の新生代漸新世に北部九州に生息していた，海鳥プロトプテルム類の化石や復元骨格などの展示が充実している。北九州市内からはプロトプテルム類の化石が多産し，博物館での研究も進められ，近年もその成果が報告されている。貴重な標本も展示しているので多くの人に来館してほしい。

Data

北九州市立自然史・歴史博物館（いのちのたび博物館）

〒805-0071
福岡県北九州市八幡東区東田2-4-1
電話：093-681-1011
開館時間／9:00～17:00（入館16:30まで）
休館日／年末年始と6月中旬の1週間
入館料／大人：600円，高大学生：360円，小中学生：240円，小学生未満：無料，そのほか減免対応あり（ホームページ参照）
https://www.kmnh.jp

博物館外観

エンバイラマ館の「羽毛」ヴェロキラプトル

執筆者一覧

※五十音順，敬称略

青塚圭一（あおつか・けいいち）
東京大学大学院博士課程在籍。鳥類化石の記載を中心に，鳥類の骨格形態と生態との関係性に注目した研究を行う。特に潜水鳥類の運動様式に関心があり，近年は現生種の解剖学的研究を取り入れながら，化石鳥類の生態推定を試みている。
→ p.56,64,68,78

池上直樹（いけがみ・なおき）
御船町恐竜博物館主任学芸員，モンタナ州立大学付属ロッキー博物館リサーチアソシエイト，熊本大学非常勤講師。博士（理学）。専門は地史・古生物学。長年，御船層群の恐竜化石や白亜系の層序に関する研究に従事。最近はロッキー博物館のチームとともにモンタナ州での恐竜化石調査を行う。
→ p.100

大橋智之（おおはし・ともゆき）
1976 年，福島県生まれ。東北大学理学部卒・東京大学大学院理学系研究科地球惑星科学専攻修了。博士（理学）。2010 年から北九州市立自然史・歴史博物館脊椎動物化石担当学芸員。専門は恐竜と北部九州のプロトプテルム類の研究など。
→ p.102

川上和人（かわかみ・かずと）
森林総合研究所・島嶼性鳥類担当チーム長。チーム名は自分で提案したのだが，「島」と「鳥」という字が似ていて時々混乱する。正直なところ自分でも失敗したかなと思うことがある。だからといって代案は浮かばないのでご容赦ください。著書に著書に『鳥類学者 無謀にも恐竜を語る』（技術評論社），『鳥の骨格標本図鑑』（小社刊）ほか多数。
→ p.12

川口 敏（かわぐち・さとし）
1968 年，香川県さぬき市生まれ。趣味の解剖を活かして動物に関する論文，エッセイ，イラストを発表している。2009 年，化石種ミヤコムカシネズミを発見。著書に『死物学の観察ノート』（PHP 研究所），『哺乳類のかたち』（小社刊）がある。
→ p.20,74,80,86,92,93,94

河部壮一郎（かわべ・そういちろう）
古生物学者。福井県立大学恐竜学研究所准教授，福井県立恐竜博物館研究員。1985 年，愛媛県生まれ。東京大学大学院理学系研究科博士課程修了。専門は脊椎動物の比較形態学。特に，鳥類を含む恐竜や哺乳類の脳などの神経系や感覚器形態について。
→ p.50,99

黒須球子（くろす・まりこ）
2015 年，中国地質大学（北京）地球科学・資源学部修士課程卒業。白亜紀アジアの獣脚類の研究に従事。博士後期課程在学中。TCA 東京 ECO 動物海洋専門学校講師。
→ p.52,70,96,97

後藤和久（ごとう・かずひさ）
1977 年生まれ，千葉工業大学惑星探査研究センター上席研究員等を経て，現在東京大学教授。専門は地質学。著書に『Google Earth でみる地球の歴史』『決着！恐竜絶滅論争』『Google Earth で行く火星旅行』（岩波科学ライブラリー），『巨大津波 地層からの警告』（日本経済新聞出版社）。
→ p.72

小林快次（こばやし・よしつぐ）
北海道大学総合博物館教授。米国ワイオミング大学で学士取得後，米国サザンメソジスト大学で Ph.D. を取得。海外発掘調査を行い，恐竜の分類や生理・生態の研究を行う。近年，ヤマトサウルス，カムイサウルス，パラリテリジノサウルスなどを命名。著書に『ぼくは恐竜探検家！』（講談社），『恐竜まみれ』（新潮社）など。図鑑監修も多数。
→ p.16

武重胡桃（たけしげ・くるみ）
1992 年生まれ，佐賀県武雄市出身。2015 年に岡山理科大学総合情報学部生物地球システム学科卒業後，佐賀県立宇宙科学館のアテンダントとして 7 年間勤務。2021 年 9 月より長崎市恐竜博物館の学芸員として勤務。
→ p.100

田中康平（たなか・こうへい）
名古屋市生まれ。カルガリー大学地球科学科修了（Ph.D.）。筑波大学生命環境系助教。恐竜の繁殖行動や子育ての研究を中心に，恐竜の進化や生態を研究している。著書に『恐竜学者は止まらない！読み解け，卵化石ミステリー』（創元社）など。推し羽毛恐竜はシノサウロプテリクス。
→ p.6,11,66,95

田中望羽（たなか・みう）
長野県出身。東京学芸大学卒業後，北海道大学修士課程卒業，現在博士課程に在学しながら神流町恐竜センターにて主事・学芸員係として勤務。コロナ禍でセンターが休館となった際には Web 学習コンテンツを作成。そのほか企画展学術協力など。
→ p.101

田村宏治（たむら・こうじ）
東北大学大学院生命科学研究科教授。動物好きの学生らに囲まれて，論理性の議論に没頭する日々。藤橋さやか（同・修士 1 年）：生物の形状がどのようにできるのか骨を題材に研究中。竹田 山原楽（同・修士 2 年）：ふだん使いのカバンにも双眼鏡を忍ばせている。
→ p.62

真鍋 真（まなべ・まこと）
国立科学博物館・副館長，研究調整役。博士（理学）。横浜国立大学教育学部卒業，米イェール大学大学院 MSc 課程修了，英ブリストル大学大学院 Ph.D 課程修了。1994 年より国立科学博物館に勤務し，中生代の爬虫類，鳥類化石を主な研究テーマとしている。書籍，展示の監修など多数。
→ p.90,98

山﨑優佑（やまざき・ゆうすけ）
1991 年，栃木県生まれ。2021 年から TCA 東京 ECO 動物海洋専門学校の講師となり，恐竜・自然史博物専攻と野生動物保護専攻の学生に恐竜から鳥類への進化や野鳥の調査方法等を教える。NPO 法人バードリサーチの嘱託研究員として冬鳥の調査・分析も行う。
→ p.46,54,58

参考文献 (p.46〜49)

＊1 Browne, M.W. (19 October 1996) "Feathery Fossil Hints Dinosaur-Bird Link". New York Times. p. Section 1 page 1 of the New York edition.(最終閲覧日：2022年5月28日)

＊2 Chen, Pj., Dong, Zm., & Zhen, Sn. (1998) An exceptionally well-preserved theropod dinosaur from the Yixian Formation of China. Nature, 391, 147-152.

＊3 Qiang, J., Currie, P.J., Norell, M.A, & Shu-An J. (1998) Two feathered dinosaurs from northeastern China. Nature, 393, 753-761.

＊4 Xu, X., Zhou, Z., Wang, X., Kuang, X., Zhang, F., & Du, X. (2003) Four-winged dinosaurs from China. Nature, 421, 335-340.

＊5 Koehl, M. A. R., Evangelista, D., & Yang, K. (2011) Using physical models to study the gliding performance of extinct animals. Integrative and Comparative Biology. 51, 1002-1018.

＊6 Turner, A.H., Makovicky, P.J., & Norell, M.A. (2007). "Feather quill knobs in the dinosaur Velociraptor". Science. 317, 1721.

＊7 Li, Q., Gao, K.-Q., Vinther, J., Shawkey, M.D., Clarke, J.A., d'Alba, L., Meng, Q., Briggs, D.E.G., & Briggs, R.O. (2010). "Plumage color patterns of an extinct dinosaur". Science 327, 1369-1372.

＊8 Lindgren, J., Sjövall, P., Carney, R.M., Cincotta, A., Uvdal, P., Hutcheson, S.W., Gustafsson, O., Lefèvre, U., Escuillié, F., Heimdal, J., Engdahl, A., Gren, J.A., Kear, B.P., Wakamatsu, K., Yans, J., & Godefroit, P. (2015). Molecular composition and ultrastructure of Jurassic paravian feathers. Scientific Reports, 5: 13520.

＊9 フィリップ・カリー(著) 小畠郁生(翻訳) (1994) 恐竜ルネサンス. 講談社. 326pp

＊10 Owen, R. (1863) On the Archeopteryx of yon Meyer, with a description of the fossil of a long-tailed species from the lithographic stone of Solnhofen. Philosophical Transactions of the Royal Society of London 153, 33-47.

＊11 Huxley, T.H. (1868) Remarks upon Archaeopteryx lithographica. Proceedings of the Royal Society of London, 16: 243 -248.

＊12 Meyer H von (1861) Archaeopteryx lithographica (VogelFeder) und Pterodactylus von Solnhofen. Neues Jahrbuch für Geologie und Paläontologie 1861, 678-679.

＊13 Huxley, T.H. (1868) On the animals which are most nearly intermediate between birds and reptiles. Ann Mag Nat Hist 4th 2: 66-75.

＊14 Ostrom, J.H. (1973) The ancestry of birds. Nature 242: 136.

＊15 Osborn, H.F. (1924). "Three new Theropoda, Protoceratops zone, central Mongolia". American Museum Novitates, 144, 1-12.

＊16 Barsbold, R. (1983) Avian features in the morphology of predatory dinosaurs. Transactions of the Joint Soviet Mongolian Paleontological Expedition, 24, 96-103.

＊17 Nesbitt, S.J., Turner, A.H., Spaulding, M., Conrad, J,L., & Norell, M.A. (2009) The theropod furcula. Journal of morphology, 270, 856-879.

＊18 Martin, L.D., Stewart, J,D., & Whetstone, K,N. (1980) The origin of birds: Structure of the tarsus and teeth. Auk, 97, 86-93.

＊19 Currie, F.J. (1987) Bird-like characteristics of the jaws and teeth of Troodontid theropods (Dinosauria, Saurischia). Journal of Vertebrate Paleontology, 7,72-81.

＊20 Bakker, R.T. (1986) The Dinosaur Heresies: New Theories Unlocking the Mystery of the Dinosaurs and Their Extinction. William Morrow & Co. 480pp.

＊21 Burke, A.C., & Feduccia, A. (1997) Developmental patterns and the identification of homologies in the avian hand. Science, 278, 666-668.

＊22 Tamura, K., Nomura, N., Seki, R., Yonei-Tamura, S., & Yokoyama, H. (2011) Embryological evidence identifies wing digits in bird as digits 1, 2, and 3. Science, 331, 753-757.

＊23 Prum, R. (1999) Development and evolutionary origin of feathers. Journal of Experimental Zoology 285:291-306.

＊24 Cincotta, A., Nicolaï, M., Campos, H.B.N., McNamara, M., D'Alba,L., Shawkey, M.D., Kischlat, E, E., Yans, J., Carleer, R., Escuillié, F & Godefroit, P (2022) Pterosaur melanosomes support signalling functions for early feathers. Nature, 604, 684-688.

＊25 Saitta, E.T., Gelernter, R & Vinther, J. (2017) Additional information on the primitive contour and wing feathering of paravian dinosaurs. Palaeontology, 61, 273-288.

＊26 Beebe, C, W.(1915) A tetrapteryx stage in the ancestry of birds. Zoologica, 2, 38-52.

＊27 urgers, P., & Chiappe, L. (1999) The wing of Archaeopteryx as a primary thrust generator. Nature, 399, 60-62

BIRDER\SPECIAL

羽毛恐竜完全ガイド

本書の最新情報はこちら

2023年3月14日 初版第1刷発行

編　　　集	BIRDER編集部（中村友洋，杉野哲也，関口優香，上杉弥生）
デ ザ イ ン	横田光隆（studio-FINCH）
発 行 者	斉藤 博
発 行 所	株式会社 文一総合出版
	〒162-0812 東京都新宿区西五軒町2-5 川上ビル
	Tel:03-3235-7341（営業），03-3235-7342（編集）Fax:03-3269-1402
	https://www.bun-ichi.co.jp/
郵 便 振 替	00120-5-42149
印　　　刷	奥村印刷株式会社

◎本書に登場する羽毛恐竜・絶滅鳥類の大きさ比べ

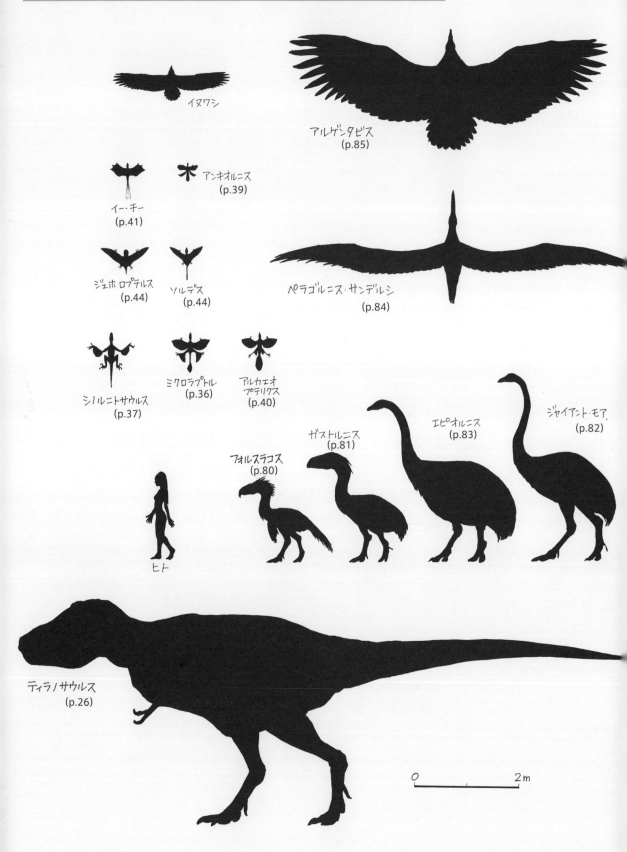

イヌワシ

アルゲンタビス
(p.85)

アンキオルニス
(p.39)

イー・チー
(p.41)

ジェホロプテルス
(p.44)

ソルデス
(p.44)

ペラゴルニス・サンデルシ
(p.84)

シルニトサウルス
(p.37)

ミクロラプトル
(p.36)

アルカエオ
プテリクス
(p.40)

ジャイアント・モア
(p.82)

エピオルニス
(p.83)

ガストルニス
(p.81)

フォルスラコス
(p.80)

ヒト

ティラノサウルス
(p.26)

0   2m